Quand les lucioles s'arrêtent de briller

Willy Elphège Miabatoussa

Quand les lucioles s'arrêtent de briller

Roman

LE LYS BLEU
ÉDITIONS

À la mémoire de Bienvenu Seholo « Petit père ».

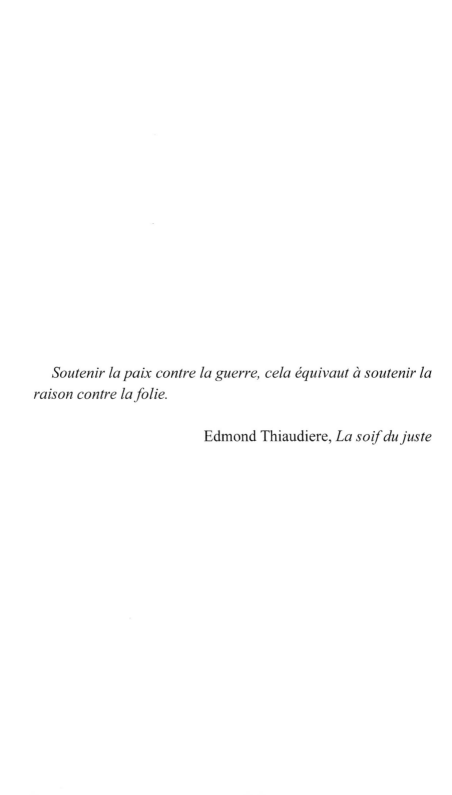

Soutenir la paix contre la guerre, cela équivaut à soutenir la raison contre la folie.

Edmond Thiaudiere, *La soif du juste*

I

La pluie venait de s'abattre sur Brazzaville, mettant ainsi fin à plus de quatre mois de saison sèche. C'était le début du mois d'octobre, de l'année 1998. Dans le quartier populeux de Bacongo, cet événement fut à l'instar des années précédentes, accueilli dans le tumulte et l'allégresse. Dans les rues, on courrait s'abriter. Les vendeurs à la sauvette rangeaient leurs marchandises avec promptitude ; tandis que les jeunes enfants, en proie à une forte excitation, dansaient à la vue des grosses gouttes d'eau qui tombaient du ciel. À Bacongo, tout comme dans le reste de la ville, on aimait la pluie. On aimait sentir l'odeur de terre mouillée qui embaumait l'air ; on aimait entendre le fracas des gouttes d'eau, sur les toitures des maisons et les feuilles des arbres. D'aucuns affirmaient que cette sonorité leur facilitait le sommeil, et leur procurait une certaine volupté. Comme pour marquer le coup, ce jour-là, la pluie qui tombait abondamment était accompagnée d'un violent orage. Un tonnerre assourdissant retentissait par intermittence, la bourrasque faisait frémir les arbres du quartier, et quantité d'éclairs zébraient le firmament. Le long des trottoirs, des caniveaux déjà en piteux états se remplissaient à vue d'œil et déversaient leur contenu sur le sol.

Alourdi par ses vêtements gorgés d'eau, tenant dans ses mains sa paire de crampons, Kouka courait seul sous la pluie. Comme chaque dimanche après-midi, il venait de participer à un match de football avec ses coéquipiers. De peur d'être foudroyé par l'orage ou d'attraper froid, il décida d'aller s'abriter dans la boutique de Diallo, un commerçant malien installé depuis des années à Bacongo. C'était un homme d'une quarantaine d'années, tout au plus, et de très haute stature. Même Kouka, du haut de son mètre quatre-vingts, avait l'air d'un nain à ses côtés. Diallo racontait à qui voulait l'entendre, qu'il avait jadis fait partie de l'équipe nationale de basket malienne. Seulement, aucune preuve ne venait corroborer ses dires. En raison de son impressionnante taille, il était continuellement moqué par les habitants du quartier. Il avait, fort heureusement, le sens de la repartie, ainsi qu'un grand sens de l'humour. Il répondait alors que si les Congolais voulaient également avoir de grandes tailles, ils n'avaient qu'à consommer moins de manioc. Car selon lui, le manioc rendait sot et nuisait fortement à la croissance. Outre son physique hors norme, on était fasciné par sa maîtrise des chiffres et des individus. En effet, sans jamais prendre de notes, Diallo savait exactement qui, dans le quartier, lui devait de l'argent.

À l'intérieur de la boutique, deux clients assis sur un banc sirotaient tranquillement un jus d'orange et devisaient avec le commerçant ; lequel ne manquait jamais l'occasion de s'abreuver des petites histoires de voisinage. On disait de lui qu'il était mieux informé que les fins limiers de la police, car rien de ce qui se passait dans le quartier ne lui échappait. Comme la plupart des commerçants de proximité, Diallo faisait essentiellement de la vente au détail.

Des ribambelles de produits étaient disposés derrière son comptoir, qu'il ne quittait que très rarement. On y trouvait des boîtes de conserve, des accessoires divers, du pain et des boissons sucrées ; car en bon musulman qu'il était, le commerçant se refusait catégoriquement à vendre de l'alcool.

Kouka entra dans la boutique et salua tout le monde.

« Salut mon petit ! fit Diallo. Je vois que la pluie ne t'a pas loupé.

— C'est clair ! » répondit le jeune homme qui alla ensuite demeurer sur la véranda.

D'un air amusé, il voyait des passants subir les éclaboussures des voitures, et déverser sur les conducteurs des torrents d'injures. Puis, il retira son maillot de couleur blanche et noire. Il alla le faire sécher, sur la devanture de la boutique. Au dos de ce maillot était inscrit le numéro dix, comme celui du désormais célèbre Zinedine Zidane, qui, deux mois auparavant, avait remporté avec l'art et la manière, la coupe du monde de football avec l'équipe de France. Son maillot comportait également le nom de son équipe, créée quelques semaines après la fin de la dernière guerre civile, c'est-à-dire une année auparavant. À cette époque, Kouka et ses deux meilleurs amis, Cyr et Gildas, mus par une passion débordante pour le ballon rond, passaient le plus clair de leur temps sur les terrains de football de leur quartier. Bien plus qu'un délassement, ce sport était un exutoire qui le temps d'une rencontre, leur permettait de fuir la réalité d'un pays tombé en décrépitude. Ils baptisèrent leur équipe Bana Matsoua. Ce choix était loin d'être fortuit, car il faisait référence à l'endroit d'où ils étaient tous originaires, la célèbre avenue Matsoua.

Située en plein cœur du quartier de Bacongo, c'était l'une des avenues les plus animées de Brazzaville. Tout le monde se connaissait et s'efforçait de vivre en bonne intelligence avec le voisinage. Cette avenue devait son nom à un illustre personnage congolais, un certain André Grenard Matsoua. Cet homme, originaire du sud du Congo, fut l'un des principaux acteurs dans la lutte contre le colonialisme. Il avait créé, dans les années vingt, un important mouvement ayant pour but de venir en aide aux anciens tirailleurs, et de façonner les esprits des jeunes africains par l'éducation. Bien qu'il fût pacifique, ce mouvement, baptisé « l'Amicale des originaires de l'Afrique-Équatoriale Française », inquiéta fortement les autorités coloniales de l'époque. Elles organisèrent force répressions, à l'endroit des membres de cette fameuse Amicale, et Matsoua en fit rapidement les frais. Il fut jeté en prison au début des années quarante, et il y décéda, dans des circonstances peu ou prou mystérieuses. Nombre de ses ouailles choisirent de se regrouper au sein d'un mouvement religieux, que l'on appela « Matsouanisme ». Il n'était pas rare, de les voir déambuler de temps à autre dans les rues de Bacongo. Selon leurs dires, Matsoua – qu'ils avaient amplement hissé au rang de Messie – était tout sauf mort. Et un jour ou l'autre, il finirait par refaire surface.

En attendant la fin de la pluie, Kouka, qui se tenait toujours debout sur la véranda de la boutique, décida de se repasser en mémoire, les images de la journée qui venait de s'écouler. Le match de foot eut lieu au stade Ugos de Bacongo, à quelques encablures du grand marché Total, et il s'acheva sur la victoire de son équipe, Bana Matsoua. Il fut celui qui ouvrit le score, et Gildas vint donner le coup de grâce, en inscrivant un deuxième but de la tête. Le coup de sifflet final de l'arbitre arriva deux minutes après cette action, au grand dam de leurs rivaux de l'équipe Boma Nioka ; dont les membres étaient des jeunes issus des quartiers nord de Brazzaville. Des scènes de liesse avaient aussitôt embrasé le stade, et la foule en extase scandait les noms des deux héros du jour : Gildas et Kouka.

Malheureusement, les Boma Nioka, très mauvais perdants, provoquèrent une échauffourée dans les minutes qui suivirent. Tout se passa extrêmement vite. Attaqué par surprise, Gildas fut la première victime. La réaction de ses coéquipiers ne se fit point attendre. Ils se ruèrent sur leurs adversaires, et des coups d'une rare violence se mirent à pleuvoir. Du sport censé rassembler la jeunesse, on passa à une rixe dans laquelle le tribalisme – véritable fléau dans quantité de pays d'Afrique subsaharienne – s'immisça amplement. En sus des coups que les deux camps s'administraient, des insultes telles que « sales Laris » ou « sales Mbochis » fusaient çà et là. Les Laris, étant l'ethnie majoritaire dans les quartiers sud de Brazzaville, et les Mbochis, regroupés en grande partie dans le nord de la capitale congolaise.

Craignant d'être pris à partie, l'arbitre préféra prendre ses jambes à son cou, et les supporters les moins hardis lui emboîtèrent le pas. Les bagarres en fin de match, étaient pour ainsi dire monnaie courante. Toute dérobade était proscrite dans ce genre de situation. Il fallait se montrer pugnace. C'était avant tout une question d'honneur. Il y avait fort à parier que le match retour, qui se tiendrait cette fois-ci dans les quartiers nord, se terminerait de la même manière. Très souvent, la bagarre ne prenait fin qu'avec l'arrivée des forces de l'ordre ; lesquelles savaient user de moyens fort dissuasifs, pour faire cesser les hostilités. Et on s'en tirait certains jours avec quelques contusions. Mais de forces de l'ordre, elles n'en avaient que le nom. Il s'agissait en réalité d'anciens miliciens Cobras qui avaient participé à l'avènement du nouveau président de la République.

Au sortir de la dernière guerre civile, ils furent intégrés à la va-vite, dans les rangs de l'armée et de la police. C'était pour le gouvernement, une manière de donner à la communauté internationale, le gage d'une paix retrouvée dans le pays, avec la suppression progressive des milices. Mais la réalité était tout autre. Bien qu'ayant endossé l'uniforme, les miliciens se distinguèrent avant tout par leur indiscipline. Ils appartenaient pour la plupart à des groupes armés qu'on appelait « écuries » ; et commettaient fréquemment toutes sortes d'exactions.

Pour comble de malheur, ils étaient épaulés dans leurs turpitudes par des soldats angolais ; lesquels avaient permis au président de la République de porter le coup de grâce à ses adversaires durant la guerre. Depuis lors, nombre de ces soldats angolais, qui au demeurant ne s'exprimaient qu'en portugais, et n'étaient guère réputés pour leur mansuétude, demeuraient sur le sol congolais. Ils terrorisaient la population, au vu et au su du pouvoir en place qui leur avait donné un blanc-seing pour agir de la sorte. C'était en fait, une manière de les récompenser en nature, car l'argent faisait défaut. On appelait cela l'effort de guerre.

Ce jour-là, l'arrivée des forces de l'ordre coïncida avec le retour de la pluie. Armées de matraques, elles chargèrent les bagarreurs. Ce fut la débandade. Kouka alla trouver refuge, sous un camion stationné non loin du stade. Et pendant ce temps, ses coéquipiers couraient de toutes parts afin d'échapper à l'assaut. Quand il sortit de sa cachette, quelques minutes plus tard, le stade s'était entièrement vidé de ses occupants. Il n'y avait plus aucune trace des hommes en uniformes, ni même du reste des joueurs de son équipe. Il décida de rentrer chez lui, tandis que la pluie continuait d'arroser la ville.

Au bout d'une heure, on eut droit à une accalmie. Kouka récupéra son maillot, serra la main de Diallo et prit congé de lui. À mesure qu'il avançait, il constatait les dégâts occasionnés par l'orage. Çà et là, des rues étaient complètement submergées, des arbres étaient déracinés, des toitures avaient cédé, et les gens pataugeaient dans la boue. Il leva les yeux vers le ciel, qui paraissait toujours aussi menaçant. Il comprit qu'il ne s'agissait que d'un calme précaire. Tout donnait à penser qu'un autre orage était en préparation. Il lui fallait hâter le pas. Mais avant de rentrer chez lui, le jeune homme décida de faire halte chez maître Nzouzi. C'était le soudeur le plus réputé de Bacongo, et également le père de Cyr. Ce dernier s'était porté absent pour le match dominical. Ce n'était clairement pas dans ses habitudes. Kouka voulut donc, s'enquérir de la situation de son jeune ami.

Lorsqu'il ne s'entraînait pas avec ses coéquipiers, et qu'il n'était pas sur les bancs du lycée, Cyr qui comme Kouka était âgé de dix-huit ans écrivait des textes de rap ; un style musical qui avait progressivement damé le pion aux chansons locales, dans l'esprit des jeunes congolais. Dans ses textes, il brocardait le président de la République. Il abordait également, des sujets ayant trait à la déréliction des populations, au marasme économique et à la paupérisation grandissante dans le pays. Autant de thématiques qui contrastaient radicalement, avec celles véhiculées par les thuriféraires du pouvoir en place congolais. Cyr se définissait comme un poète de la contestation, et son plus grand rêve était de pouvoir un jour aller en studio d'enregistrement, pour donner corps à ses nombreuses chansons. Sa détermination était d'autant plus grande, qu'à des milliers de kilomètres de Brazzaville, en France plus précisément, un collectif de rap, dénommé Bisso na Bisso faisait florès.

La singularité de ce collectif, était qu'il était exclusivement composé de jeunes originaires du Congo. Cyr s'identifiait à eux, et espérait secrètement suivre leurs traces. Et en attendant que son heure n'arrivât, il continuait de peaufiner sa prose et répétait fréquemment au centre culturel Sony Labou Tansi, en compagnie de plusieurs artistes du coin. Quant à son père, dont le savoir-faire était notoire, il passait ses journées dans son atelier. L'accès y était strictement interdit. Toutefois, Kouka, auréolé du statut de meilleur ami de Cyr, eut un jour l'immense honneur d'y pénétrer. Il en savoura chaque instant. Maître Nzouzi lui fit revêtir pour la circonstance, la panoplie du parfait soudeur : un masque visant à protéger ses yeux des étincelles, des gants et un tablier en cuir. Mais le vieil homme se garda bien de lui laisser manipuler l'électrode.

En pénétrant dans l'atelier ce jour-là, Kouka fut d'abord frappé par la forte odeur qui s'exhalait des métaux fondus, et qui agressait les narines. Il demeura ébaubi par la dextérité avec laquelle, maître Nzouzi maniait l'électrode de son poste à souder. Chacune de ses actions provoquait d'importantes étincelles. Il n'y avait pas l'ombre d'un doute, que le soudeur serait devenu aveugle depuis fort longtemps, s'il ne portait pas de masque de protection. Bien que son atelier et son domicile fussent situés dans la même parcelle, maître Nzouzi ne regagnait sa maison qu'en fin de journée. Pour alléger sa charge de travail, il était secondé depuis peu de temps par un apprenti, fraîchement arrivé du village.

Kouka arriva devant le domicile de son ami Cyr. Comme il était près de sonner au portail, quelque chose de fort ahurissant se produisit. Un 4x4 noir aux vitres teintées arriva à toute vitesse, et vint se garer gauchement devant la clôture, manquant de le renverser au passage. Cinq hommes cagoulés, et lourdement armés, descendirent du véhicule. Ils ne portaient pas d'uniformes, mais le 4x4 dans lequel ils étaient arrivés ressemblait fortement à ceux des membres de la garde présidentielle ; ce qui n'était clairement pas de bon augure. Quatre de ces hommes pénétrèrent en courant dans le domicile de Cyr, tandis que le cinquième, Kalachnikov en main, alla faire sentinelle devant le portail. C'était un homme d'une stature similaire à celle de Diallo, autrement dit un géant ; à cette différence près, qu'il était bâti comme un athlète. Un vrai soldat.

De son visage, on ne distinguait que ses yeux, le reste était enfoui sous la cagoule. Il lança un regard noir à Kouka, qui fut saisi de terreur et se figea sur place. Puis, d'une voix rauque, il l'apostropha : « Dégage de là abruti ! »

Kouka ne se le fit pas dire deux fois. Il rejoignit en courant, la foule de badauds qui s'était agglomérée sur le trottoir d'en face. Une rumeur commençait à se répandre. Les gens étaient stupéfaits, et se perdaient en conjectures. Cependant, personne ne semblait avoir d'information pertinente à divulguer. Tout à coup, Kouka reconnut au milieu de cette cohue une silhouette familière. Imperturbable, le visage sévère, Gildas assistait également à la scène. Kouka fut bien aise de constater qu'après la bagarre au stade Ugos, les forces de l'ordre ne l'avaient pas interpellé. Gildas était le plus taciturne de ce trio inséparable, et aussi le plus consciencieux. Il était celui qui rappelait ses deux copains à l'ordre, lorsqu'ils se dissipaient, surtout quand il s'agissait d'apprendre leurs leçons. Les trois jeunes hommes, qui se connaissaient depuis leur plus tendre enfance, étaient liés par une amitié fraternelle. Et ils savaient compter les uns sur les autres, en cas de problème.

Gildas aperçut Kouka qui lui faisait des signes de la main. Il s'empressa d'aller le rejoindre.

« Qu'est-ce que tu fous là ? demanda-t-il, je croyais que les Cobras t'avaient embarqué.

— Tu rigoles ! répondit Kouka. J'avais réussi à trouver une bonne cachette. Je suis resté planqué jusqu'à leur départ.

— Pareil pour moi. Quand ils ont commencé à matraquer, j'ai sauté dans les herbes à côté du stade.

— Et où sont les autres ?

— Aucune idée. Sinon, tu sais ce qui se passe ici ?

— J'allais te poser la même question, dit Kouka d'une voix inquiète. Mais si les hommes de la Présidence sont là, c'est que c'est grave. »

À l'intérieur de l'atelier, le bruit du poste à souder s'était arrêté, et des éclats de voix se faisaient entendre. Il s'ensuivit un long moment de silence. Au-dehors, la foule qui s'était agrandie retenait son souffle. Finalement, les quatre hommes sortirent de l'atelier, braquant leurs armes sur Cyr, qui marchait les deux mains posées sur la tête. Le regard atone, il semblait à première vue ne pas vouloir opposer de résistance. Flanqué de son apprenti, et tenant son masque de travail à la main, maître Nzouzi regardait son fils s'en aller avec les éléments de la garde présidentielle. L'impuissance pouvait se lire sur son visage, et aucun son ne semblait vouloir s'échapper de sa bouche.

Après avoir installé Cyr à l'arrière, les cinq hommes grimpèrent prestement dans le véhicule, qui démarra sur les chapeaux de roue, sous le regard ahuri de Kouka et Gildas. Leur copain venait de se faire enlever, et il courait probablement vers une mort certaine.

« Mais c'est quoi ce bordel ? s'écria Kouka.

— J'en sais rien mon gars ! répondit Gildas, qui baissait les yeux, mais c'est terrible. »

D'abord timides, les bourdonnements de la foule se firent plus intenses. Chacun éprouvait le besoin de commenter la situation. Pour les uns, il s'agissait indubitablement d'un règlement de compte. Les autres pointèrent du doigt les textes de rap de Cyr, ouvertement hostiles au président de la République. « Cette musique n'apporte que des emmerdes ! » lâcha quelqu'un dans la foule. Exaspérés par ces bavardages, qui à leurs yeux étaient inopportuns, révoltés par le drame auquel ils venaient d'assister ; les deux amis fendirent la foule et s'en allèrent.

« Attends ! dit Gildas d'une voix triste. Tu ne penses pas qu'on devrait rester avec maître Nzouzi ? Il aura besoin de notre soutien, surtout si…

— Tu as raison, interrompit vivement Kouka, qui manifestement ne souhaitait pas entendre la suite de la phrase. Mais je pense qu'on devrait lui laisser le temps de bien digérer la situation. Nous reviendrons le voir plus tard.

— D'accord ! Partons d'ici maintenant. »

Les deux amis marchèrent longtemps sans s'adresser la parole, courroucés par cette situation calamiteuse, mais loin d'en être étonnés ; étant donné que depuis la fin de la guerre civile, les populations brazzavilloises étaient en butte aux arrestations arbitraires et aux enlèvements. Mais pour des raisons de sécurité, on s'échinait à ne rien laisser paraître en public, car on pouvait payer au prix fort, une contestation trop ostensible. Cela faisait partie de la normalité d'après-guerre. Les hommes en armes faisaient la pluie et le beau temps. Il fallait s'y faire. Quelques mètres plus loin, Kouka remarqua une banderole suspendue à la devanture d'une boutique, sur laquelle on pouvait lire « Plus jamais ça ! » en référence à la guerre. Il s'arrêta pour la contempler. D'ordinaire, cette phrase suscitait en lui l'espoir, mais en de telles circonstances elle devenait incongrue. Il poussa un soupir, après quoi il détourna son regard de la banderole, et poursuivit sa marche. Bien que ne sachant de quelle manière il comptait s'y prendre ; il prit la ferme résolution de tout mettre en œuvre, pour sortir Cyr de ce mauvais pas. Il ignorait toutefois qu'il n'était pas au bout de ses surprises.

II

La nuit était tombée, et l'avenue Matsoua était irradiée par la lumière des lampadaires. Comme chaque dimanche soir, l'ambiance était festive et une impressionnante foule convergeait vers l'avenue. Tout le monde était d'humeur joviale. Des senteurs de grillades emplissaient l'air, et les Ngandas – c'était par ce nom, qu'on désignait les estaminets qui pullulaient dans Brazzaville –, diffusaient dans une cacophonie totale, les chansons congolaises du moment. En raison de l'important flux de circulation des Cent-Cent, c'est-à-dire les taxis collectifs, un concert de klaxon faisait également partie du paysage sonore. Mais un incident vint tout gâcher, en un rien de temps. Toutes les lumières venaient de s'éteindre, Bacongo était subitement plongé dans l'obscurité, et la musique des Ngandas s'était tue. Une clameur se répandit immédiatement dans tout le quartier. Les gens se mirent à pousser des cris d'orfraie et, à se répandre en injures ; lesquelles étaient destinées avant tout aux autorités publiques, et à la Société Nationale d'Électricité. On venait une fois de plus de subir un délestage électrique. Redoutés de tous, les délestages arrivaient fréquemment et toujours inopinément, faisant retomber la population dans une vie rustique, avec toutes les privations que cela comportait. Ils pouvaient durer des minutes, des heures, des jours et parfois des semaines, c'était fort aléatoire. Et on se contentait de dire simplement que « le courant est parti ! »

Au-dehors, la lueur des réverbères avait fait place à celle des lampes-tempête, qui se mêlait à son tour à celle des lucioles. Ces petites bestioles luminescentes foisonnaient dans le quartier, mais on ne se rendait réellement compte de leur présence, qu'au moment des délestages. On les voyait alors scintiller avec ardeur, comme si elles eussent voulu profiter de leur instant de gloire. Par bonheur, le délestage ce jour-là fut de courte durée. L'électricité fut de nouveau opérationnelle au bout d'un quart d'heure, tout au plus. Une autre clameur retentit, et cette fois-ci, elle était empreinte d'exultation. On eût dit que le Congo venait de remporter la Coupe du monde de football.

Quelques minutes après le retour de l'électricité, on assista à l'arrivée de personnages inénarrables : les Sapeurs, adeptes de la SAPE, la Société des Ambianceurs et des Personnes Élégantes. Ces prosélytes des grandes marques de vêtements occidentaux profitaient chaque soir de la lumière des lampadaires, pour parader crânement sur l'avenue Matsoua, organisant régulièrement des défilés de mode, devant une foule bigarrée et en extase. Ce soir-là, ils furent près d'une quarantaine à prendre d'assaut l'avenue. Presque aussitôt, ils se lancèrent – comme ils savaient le faire –, dans une joute oratoire, parlant avec morgue de leurs vêtements, prétendus hors de prix. Chaque protagoniste avait un langage gestuel dithyrambique, et voulait montrer par-dessus tout qu'il n'était pas un « Ngaya », autrement dit, quelqu'un dont les vêtements étaient passés de mode. Par-ci, par-là, on entendait des éclats de voix, la foule exultait et applaudissait à tout rompre. L'avenue Matsoua prenait alors des allures de théâtre burlesque. Dans ce pays exsangue, où la plupart des habitants tiraient le diable par la queue, le spectacle offert par ces cabotins était en quelque sorte salutaire. Il permettait aux gens de se délasser, et d'oublier le temps d'une soirée les tracas du quotidien.

Les sapeurs, comme nombre de jeunes de Bacongo, caressaient le rêve de s'installer à Paris, la Ville lumière, la capitale de la Sape. D'après eux, l'herbe y était forcément plus verte. Ils en parlaient avec passion du matin au soir. Ils confrontaient leurs connaissances, qui se résumaient essentiellement, aux principaux sites touristiques tels que la tour Eiffel, l'Arc de Triomphe et les Champs-Élysées ; ainsi qu'aux endroits fréquentés par la communauté congolaise de France, comme le célèbre quartier de Château-Rouge, dans le 18e arrondissement. Quoi qu'il en soit, ces discussions étaient houleuses. Les sapeurs disaient fréquemment que « Mourir sans voir Paris était un péché ! » Et cette maxime, qui aurait pu provoquer l'ire du Pape Jean-Paul II en personne, tant elle était blasphématoire, en disait long sur le fanatisme de ces singuliers personnages. Cette envie irrépressible de partir à l'aventure, de s'échapper de la misère du pays, et de goûter à cette vie de rêve, était exacerbée par les récits que leur narraient des proches, installés au pays du général de Gaulle : ces Congolais de la diaspora qu'on appelait « Parisiens ». Chaque fois que l'un d'entre eux venait en vacances au pays, il était adulé et faisait l'objet de grandes discussions.

Dans le quartier, il y avait également quelques « Parisiens refoulés ». C'étaient des Congolais qui avaient réussi à se rendre en France, après de dangereuses pérégrinations, en passant par l'Afrique du Nord et la méditerranée ; mais qui furent très vite expulsés du territoire français, pour défaut de titre de séjour. Ceux-là demeuraient reclus chez eux, submergés par la honte d'avoir échoué. Puis, il y avait ceux dont on ne parlait que très peu ; ceux qui étaient partis, mais n'avaient plus jamais donné signe de vie ; ceux pour qui le rêve de rejoindre l'Eldorado européen avait viré au cauchemar. Engloutis par la méditerranée, assassinés en cours de route par des passeurs peu scrupuleux, tombés entre les mains de trafiquants d'êtres humains, nul ne savait à proprement parler ce qu'ils étaient devenus. Ils avaient tout simplement disparu.

Se tenant debout à une centaine de mètres, une cigarette à la bouche, Victor considérait avec amusement le spectacle qui se déroulait sur l'avenue Matsoua. Il portait des mocassins éculés, un pantalon en laine défraîchi et une chemise à carreaux bon marché ; un accoutrement qui était incontestablement aux antipodes de celui des sapeurs. Il regarda sa montre et poussa un soupir d'agacement, son rendez-vous était manifestement en retard. Il piaffait d'impatience. Il tourna de nouveau son regard vers la foule, dont il percevait les cris inextinguibles et les applaudissements. Soudain, son attention fut captivée par une jolie jeune femme d'une bonne vingtaine d'années qui passait devant lui. Elle était vêtue de manière suggestive, et un parfum aux arômes fruités et sucrés, extrêmement sensuel, s'exhalait de son corps. Elle était grande et plutôt bien en chair, exactement comme il les aimait. Victor était sous le charme. Il se mit à la lorgner sans modération. Ses yeux se fixèrent d'abord sur sa robe moulante, qui mettait en évidence des formes très généreuses. Elle portait des chaussures à talon noires, que venaient compléter des mollets longs et charnus ; ce qui lui donnait une certaine élégance. Elle passa devant lui sans même daigner le regarder, puis alla faire le pied de grue à une dizaine de mètres. Elle semblait attendre quelqu'un.

Victor commença à se torturer l'esprit, se demandant s'il devait l'aborder ou la laisser s'en aller. Il opta pour le premier choix, une attaque frontale. Après tout, qu'avait-il à perdre ? L'ambiance s'y prêtait largement. Étant donné que l'avenue Matsoua était également un lieu de rencontres galantes, surtout durant la nuit. Avant de s'engager, il regarda autour de lui. Outre les sapeurs qui continuaient de se déchaîner, de jeunes femmes se faisaient aguicher, et des couples déambulaient en toute discrétion. Tous ces détails achevèrent de le convaincre. Il fallait agir vite, avant qu'un joyeux luron ne le devançât ; car une pareille beauté ne restait pas seule bien longtemps. Victor inspira une bonne bouffée de sa cigarette, jeta le mégot, et s'élança sur sa proie, à la manière d'un rapace. Comme il s'avançait vivement vers elle, une voix rocailleuse le stoppa et le fit se retourner : « Laisse tomber mon frère ! C'est pas une meuf pour toi. »

L'homme qui venait d'arriver devait avoir le même âge que Victor, c'est-à-dire entre vingt-cinq et vingt-six ans. Il était petit, trapu et vêtu aussi modestement que lui ; à cette différence près, qu'il portait une casquette et une paire de lunettes de soleil. Selon toute vraisemblance, il semblait soucieux de masquer son identité.

« Ah, c'est toi, Makila ! Tu es en retard. Ça doit faire une heure que je t'attends. Où t'étais passé ?

— Désolé, mais je devais attendre qu'il fasse complètement nuit. Tu sais bien que personne à Bacongo, ne doit savoir que je suis là. En plus, je suis arrivé à temps pour t'éviter de faire une connerie.

— De quoi tu parles ? fit Victor.

— De la meuf que tu t'apprêtais à draguer. Elle n'allait t'apporter que des emmerdes, crois-moi sur parole.

— Sois plus clair, je ne te comprends toujours pas !

— Je vais tout te dire. »

Makila se mit à brosser un portrait circonstancié de la jeune femme ; laquelle se prénommait Prisca. C'était une ribaude notoire, qui courait toutes les soirées mondaines de la capitale, où elle faisait perdre la tête à tous les hommes. Elle affectionnait particulièrement, ceux qui appartenaient au pouvoir en place ; car ils avaient les poches pleines, et pouvaient ainsi subvenir à ses besoins démesurés. Elle avait été le « deuxième bureau » de nombre d'entre eux. On la disait même responsable, d'une altercation récente, entre un ministre et un haut gradé de l'armée, dans un restaurant du centre-ville. Pour obtenir ses faveurs, les deux hommes qui étaient pourtant mariés, et d'un certain âge, en vinrent à se bagarrer comme des chiffonniers. Makila ajouta qu'en sus de sa réputation de croqueuse d'hommes, elle avait, d'après les ouï-dire, contracté le virus du Sida. « Et puis, malade ou pas, n'oublie pas que toi et moi, n'avons pas le droit de nous approcher des femmes », conclut-il. Victor qui continuait de dévorer Prisca des yeux peinait à masquer sa déception. Il poussa un soupir et dit : « C'est bon, je laisse tomber ! »

Puis il pria Makila, de lui dire d'où il tenait toutes ces informations. Celui-ci lui rappela qu'il était natif de Bacongo. « Dans le quartier, tout se sait ! » fit-il. De plus, il connaissait personnellement le frère aîné de Prisca, un certain Miangou, avec qui il avait apparemment quelques comptes à régler. Il emmena ensuite Victor, dans un Nganda éloigné de l'avenue Matsoua.

Les deux hommes prirent place dans un coin reculé, à l'abri des regards indiscrets. Ya Marius, le tenancier, tout sourire, vint prendre leur commande. Victor le regarda avec méfiance, et refusa de lui adresser la parole. Makila sourit, et lui suggéra de se détendre. Il lui fit comprendre qu'il avait choisi ce lieu à dessein. « Ya Marius fait partie des nôtres ! » ajouta-t-il. Victor parut rassuré. Il consentit à prendre un jus d'orange. Makila se contenta d'un verre d'eau. Toujours coiffé de sa casquette, il promena son regard dans le Nganda, qui n'était guère rempli. Il y avait à peine une poignée de tables d'occupées. À quelques mètres d'eux, cinq hommes sirotaient de la bière et, chantaient à tue-tête les chansons jouées par le DJ. Il ne faisait aucun doute que l'alcool commençait déjà à les enivrer. Un peu plus loin, un couple conversait en toute discrétion. Vu leur apparente différence d'âge, car l'homme semblait largement plus âgé que la jeune femme, tout donnait à penser qu'il s'agissait d'une relation extraconjugale. En effet, les vrais couples fréquentaient peu ce genre d'endroits. « Je pense qu'ici on sera tranquilles pour discuter ! fit Makila, qui semblait satisfait par ce qu'il voyait autour de lui. Alors, tu as du nouveau pour moi ? demanda-t-il. »

Victor répondit par l'affirmative. Il lui fit aussitôt part de l'arrestation de Cyr, le fils de maître Nzouzi ; donnant force détails, sur la manière dont les choses s'étaient déroulées. Car il avait assisté à toute la scène. Makila fut perturbé par cette nouvelle, qui tombait selon lui, au plus mauvais moment. Victor ajouta que pour l'heure, nul ne pouvait dire exactement, quel sort les hommes de la Présidence réservaient à Cyr. Dans l'hypothèse la plus favorable, il était retenu dans quelque prison insalubre de Brazzaville ; au pire, il était mort, et son cadavre avait été jeté comme il était d'usage, dans les eaux du fleuve Congo, pour servir de repas aux crocodiles.

« J'espère que c'est la première option ! dit Makila d'un air angoissé. Sinon, il y en a un qui va pas être content.

— Je veux bien te croire ! Je n'aimerais pas être là, quand on lui dira que son petit frère a été arrêté.

— C'est clair. Mais on doit quand même le prévenir. Je lui enverrai un message dès demain matin. »

Victor opina du chef.

« Et concernant la liste ? reprit Makila.

— Elle avance bien. Elle sera bouclée dans quelques semaines.

— C'est parfait. J'ai eu des nouvelles des autres. Ils vont peut-être tenter un truc demain. Ils se rapprochent. »

À cette nouvelle, Victor sourit et se frotta les mains. Il déclara qu'il avait hâte d'en finir, car la situation à Brazzaville devenait tendue. Makila acquiesça, puis il le pressa de rentrer ; car la police, comme chaque soir, n'allait pas tarder à installer les checkpoints. Ils se levèrent et s'en allèrent chacun de leur côté.

Makila évita soigneusement de passer par l'avenue Matsoua, où la fête continuait de battre son plein. Il préféra emprunter les rues adjacentes, moins éclairées et complètement désertes. Au détour de l'une d'entre elles, il eut la forte impression d'être suivi. Il s'arrêta et scruta par-dessus son épaule, mais ne vit personne. La rue était déserte et noyée dans l'obscurité. À l'évidence, cette partie du quartier était frappée par un délestage. Il voulut poursuivre son chemin, quand soudain, un bruissement le fit tressaillir. « Qui est là ? » demanda-t-il d'une voix impérieuse. Personne ne répondit. Cependant, une silhouette tapie derrière un arbre, commença à s'agiter et s'avança en titubant. Il s'agissait d'un homme, dont Makila n'arrivait pas à distinguer le visage du fait de l'absence de luminosité. « Ce n'est que moi ! » dit cet inconnu d'une voix nasillarde.

Il ne fallut qu'une fraction de seconde à Makila, pour reconnaître la voix de Luchana, un buveur impénitent, qui arpentait les rues de Bacongo. Son cas était tellement critique, que peu de personnes pouvaient se vanter de l'avoir déjà vu, autrement qu'en état d'ébriété. Pourtant, il fut une époque, où c'était un homme respectable. Il travaillait comme comptable dans une grande entreprise de travaux publics, sur la place de Brazzaville. Sa vie bascula, le jour où il fut frappé par un licenciement économique. Son épouse le quitta sans gêne aucune, dans les jours qui suivirent. Elle alla s'enticher d'un homme riche, membre du parti au pouvoir. Voilà comment Luchana, dévasté, jeta son dévolu sur l'alcool.

Il reconnut à son tour Makila, et lui dit : « Ah… mais… c'est toi ! Ça fait longtemps qu'on ne t'avait pas vu dans le coin. Ta mère sait que tu es revenu ? » Il était, comme à son habitude, complètement ivre. Il n'empêche que ses questions, entrecoupées par des hoquets, étaient d'une précision déconcertante. Makila était éberlué. Luchana, dont les vêtements étaient puants, s'approcha davantage de lui et dit :

« Tu peux me payer une bière ? Comme ça, tu me raconteras ce que tu deviens. »

D'un air contrarié, Makila lui opposa un refus catégorique, prétextant qu'il était pressé. Mais l'ivrogne, tenace, le prit par main, et réitéra sa demande, en parlant de plus en plus fort : « Allez, juste une bière, s'il te plaît ! » fit-il. Puis, il fondit en larmes, sous le regard ébahi de Makila. Ce dernier, ne tenant pas à être vu par qui que ce soit, commença à s'inquiéter ; d'autant que des voix commençaient à se faire entendre dans les maisons environnantes. De guerre lasse, il finit par céder aux caprices de l'ivrogne, pour l'empêcher d'alerter tout le quartier. Il posa sa main sur son épaule, et lui dit :

« C'est bon, calme-toi ! Tu vas l'avoir ta bière. Repartons sur l'avenue Matsoua.

— Je te suis, dit Luchana, dont le ton s'était brusquement adouci. Je commençais vraiment à avoir s… »

Il n'eut pas le temps d'achever sa phrase, car il venait de s'écrouler sur le sol. Rapide comme l'éclair, Makila venait de lui enfoncer à deux reprises son poignard en plein cœur. Il murmura ensuite entre ses dents : « Désolé soûlard ! Mais je suis trop près du but, pour prendre le risque de tout gâcher. » Après quoi, il se baissa, essuya la lame de son poignard sur les vêtements de l'ivrogne qui gisait sur le sol, et s'en alla en courant.

III

La sonnerie du réveil tira Kouka de son sommeil. D'un geste long, il saisit le petit appareil, l'arrêta et s'affala derechef sur son lit. La chambre baignait dans la pénombre, et n'était éclairée que par les quelques rayons de soleil qui filtraient à travers les rideaux. Ce jour-là, Kouka se réveilla de très mauvaise humeur, car sa nuit fut peuplée de cauchemars. Allongé sur son lit, les mains posées sur sa nuque, il fronçait les sourcils et tentait de chasser les images indicibles, qui continuaient de défiler dans sa tête. Puis, il s'aperçut qu'il avait dormi sans déployer sa moustiquaire. Il soupira, car cet oubli était impardonnable, compte tenu des conséquences qu'il pouvait engendrer ; notamment vis-à-vis des moustiques, qui chaque soir s'introduisaient subrepticement dans sa chambre. Comme la plupart des gens, Kouka abhorrait ces bestioles assoiffées de sang, qui provoquaient le paludisme, première cause de mortalité dans le pays.

Bien plus que les piqûres des moustiques, il exécrait la parade musicale qu'ils réalisaient avec leurs ailes, comme pour signifier leur mainmise sur la maison. Les murs de sa chambre étaient recouverts de posters. On y apercevait tantôt des stars du ballon rond, tantôt d'illustres personnalités politiques africaines ; notamment celles qui avaient marqué de leurs empreintes, la lutte pour les indépendances et celle du panafricanisme. La liste de ces personnalités était longue, mais Kouka était singulièrement attaché à certaines d'entre elles, à savoir : le guinéen Sékou Touré, le sénégalais Leopold Sédar Senghor, le malien Modibo Keita, le Congolais Patrice Lumumba, le camerounais Ruben Um Nyobe, le burkinabé Thomas Sankara ou encore le ghanéen Kwame Nkrumah. Tous ces personnages l'inspiraient énormément, car outre le football, Kouka était également féru de politique. C'était à ses yeux, une discipline qu'il fallait maîtriser à toute force, afin de mieux comprendre le fonctionnement du pays.

Au reste, il honnissait le président de la République, et l'ensemble des dirigeants du parti au pouvoir. Ces adeptes de la concussion, de la corruption et du népotisme, avaient selon lui, phagocyté les institutions démocratiques et, entraîné le pays dans le précipice. Ils aimaient se balader dans des 4x4 flambant neufs, de marques japonaises et américaines ; alors que les routes carrossables faisaient cruellement défaut. Au Congo, l'extrême pauvreté de la population coudoyait l'opulence de ces dirigeants politiques ; lesquels n'étaient guère offusqués par ces nombreuses disparités. Dans ce pays où l'eau potable était encore un luxe, et où le climat des affaires était dans un état comateux, les hommes politiques avaient supplanté les entrepreneurs, et brouillé les repères de certains jeunes ; à tel point que nombre d'entre eux, pensaient à tort, que pour réussir dans la vie, il fallait nécessairement adhérer au parti au pouvoir. Un parti, dont les militants, qui s'appelaient mutuellement « Camarades membres », fanfaronnaient au possible dans toute la ville, et étaient aisément reconnaissables, au foulard rouge qu'ils portaient constamment autour du cou. Kouka, pour sa part, travaillait d'arrache-pied à l'école. Il souhaitait faire de longues études, afin disait-il, de devenir plus tard quelqu'un d'important, et de faire pièce à cette classe politique ; qui par son impéritie, ses idées rétrogrades et son attitude irresponsable, entravait le développement du pays, et sacrifiait l'avenir de toute une génération.

D'ailleurs, une fois son Bac en poche, il envisageait de s'inscrire en licence de sciences politiques. Mais cela se ferait à l'étranger, car la déliquescence dans laquelle était plongée l'unique université du Congo ne permettait plus à nombre de jeunes d'étudier dans de bonnes conditions. On devait s'expatrier envers et contre tout. Encore fallait-il en avoir les moyens. Pour lui, ce serait certainement la France, où il avait de la famille. Son père, Ya Samba, instituteur de quarante-deux ans, se faisait fort de trouver les fonds nécessaires, pour lui payer le billet d'avion. Sa seule exigence était que son fils obtienne le bac, au premier tour bien évidemment. « Tu dois viser le coup KO, fiston, et avec mention ! » répétait-il à longueur de journée.

Toutefois, les pensées de Kouka étaient pour l'heure tournées non pas vers la France, mais vers Cyr. Cette situation le tourmentait. Pourquoi l'avait-on enlevé ? Était-il encore vivant ? Les interrogations fusaient dans sa tête, cependant, aucune réponse ne lui parvenait. Il se prit à bâiller, et ferma les yeux. Des kyrielles de souvenirs refluèrent lentement de sa mémoire. Il pensa singulièrement à la date du 5 juin 1997, qui marqua le début de la guerre civile. Durant cette période, le Congo, fut le théâtre d'une lutte armée ; opposant les forces du président de la République de l'époque, que tout le monde surnommait « Le Professeur », à celles de son principal opposant, Général de son état. Ce dernier s'avéra être un redoutable adversaire, ce qui contraignit le Professeur à s'allier à son Premier ministre.

Cette guerre, qui fut de loin la plus dévastatrice de l'histoire du Congo, eut pour corollaire d'exacerber les inimitiés entre les habitants ; lesquels commencèrent à s'entre-déchirer sur l'autel du tribalisme, avec le sempiternel clivage nord-sud. Ce détail était loin d'être anodin, car l'enrôlement de certains jeunes dans les milices Ninjas, Cocoyes ou Cobras, reposait en grande partie sur des considérations ethniques.

En octobre 1997, le Général – fort de l'appui des forces gouvernementales angolaises – finit par prendre le dessus sur ses deux adversaires, lesquels furent ensuite condamnés à l'exil ; tandis que leurs milices respectives s'égaillèrent dans le sud du pays. Les Ninjas de l'ancien Premier ministre allèrent trouver refuge dans la région du Pool ; et les Cocoyes, miliciens acquis au Professeur, se replièrent dans les régions du Niari, de la Bouenza et de la Lékoumou. Dès lors, ces deux groupes armés entrèrent en rébellion contre les nouvelles autorités politiques, dont ils contestaient farouchement la légitimité. Dans les zones placées sous leur contrôle, ils faisaient régner la terreur, et commettaient d'horribles forfaits ; obligeant ainsi les populations locales, à déserter leurs maisons. Pas un jour ne s'écoulait, sans que la presse ne se fît l'écho de leurs multiples exactions.

Ce conflit mortifère avait laissé une trace indélébile dans l'esprit de Kouka. Pour fuir cette abomination, il avait dû quitter la ville avec le reste de sa famille. Ils allèrent trouver refuge à Louingui, village natal de son père, situé dans la région du Pool, à plus d'une centaine de kilomètres de Brazzaville. Ils partirent après que survint un tragique événement, non loin du domicile familial. On était au mois de juillet 1997. Certes, Bacongo était éloigné du front à cette époque, mais cela n'empêchait pas pour autant les gens de mourir ; fauchés le plus souvent par des balles perdues, ou écrasés par la pluie d'obus qui s'abattait sur toute la ville. Le nombre de décès par jour était si élevé, que plus personne n'arrivait à les dénombrer.

Au fil des semaines, le climat était devenu anxiogène. Les gens se claquemuraient chez eux, et limitaient le plus possible les sorties. Jour après jour, on se demandait qui serait le prochain « défunt », celui que la faucheuse allait emporter sans crier gare. Un soir, Kouka et son père furent alertés par des pleurs et des cris, qui retentirent dans le voisinage. Léa, une jeune trentenaire, affable et appréciée de tout le monde dans le quartier, reçut dans son sommeil une balle perdue. La malheureuse décéda sur-le-champ, car la balle qui avait percé la toiture en tôle de la maison était venue se loger directement dans son crâne. Pour le père de Kouka, c'en était trop. Il décida de fuir précipitamment, avant qu'un drame ne survînt parmi les siens. Ils quittèrent la ville aux alentours de minuit, et passèrent la nuit chez un proche parent à Nganga-Lingolo, à une vingtaine de kilomètres de Brazzaville. Puis à la première heure, ils partirent pour Louingui.

Ce séjour contraint en terres rurales commença par un voyage harassant de plusieurs heures, sur une route cahoteuse, dans le vieux 4x4 Suzuki familial. Ils arrivèrent à destination en début de soirée. Pour les accueillir, une grande fête fut organisée. Tous les habitants du village y prirent part. Cet accueil plus que chaleureux permit à tout le monde de très vite oublier la fatigue du voyage. En premier lieu, Kouka dut s'accoutumer au manque d'électricité et de commodités dans la concession de ses grands-parents, car tout était différent. Pour prendre son bain par exemple, il lui fallait marcher des centaines de mètres jusqu'au marigot.

Afin de tromper l'ennui, il passait énormément de temps en compagnie de son père. Ensemble, ils écoutaient la radio, et s'informaient sur l'avancée de la situation à Brazzaville, où la guerre faisait rage. Quand les piles finissaient par s'user, ou que son père préférait les économiser, Kouka se rabattait sur le terrain de foot qui jouxtait l'école du village. Il était toujours flanqué de son cousin, un habitant du village qui lui avait présenté sa bande d'amis. Ces jeunes garçons l'adulaient, et se délectaient de ses exploits sportifs, car Kouka avait une parfaite maîtrise du ballon rond. Cela lui valut d'être surnommé Cafu, en référence au latéral droit brésilien, qui excellait en Europe sous les couleurs de l'AS Rome. Les villageois aimaient également l'entendre parler de Bacongo, ce quartier mythique de Brazzaville, que Kouka connaissait sur le bout des doigts. Avec emphase, il leur décrivait l'ambiance qui y prévalait, son charivari incessant. Il leur parlait du grand marché Total, des Ngandas, des Sapeurs et des belles demoiselles qu'on croisait les soirs de fêtes, surtout en allant se promener du côté de la célèbre avenue Matsoua.

Deux fois dans la semaine, le jeune homme accompagnait sa grand-mère, qui l'initiait aux travaux champêtres. Ne s'y sentant pas à son aise, il échafauda très vite un subterfuge pour semer « la vieille » comme il aimait l'appeler. Cependant, la mélancolie finit par le rattraper. Ses pensées étaient éminemment tournées vers Brazzaville. Le seul réconfort, dans ce qu'il convenait d'appeler un séjour forcé, fut la paix. À Louingui, on avait plus à se plier à de pénibles contraintes de sécurité dans la maison, car le crépitement des balles, le grondement des obus, les meurtres et les atrocités n'étaient plus qu'un mauvais souvenir. On s'endormait en étant bercé par le crissement des grillons, et on était réveillé par les chants du coq et les gazouillis des oiseaux. Lorsqu'il sut que la guerre venait de s'achever, Kouka exulta tel un prisonnier qui vient d'être acquitté de toutes les charges qui pèsent contre lui. Toute la famille rentra à Brazzaville en octobre 1997, au terme de quatre mois d'affrontements. Quelques jours plus tard, ce fut la prestation de serment du Général, qui après avoir vaincu le Professeur, devenait ainsi le nouveau président de la République.

Kouka finit par sortir de sa rêverie, et commença de s'apprêter, car il était temps de rejoindre le lycée. Hors de la chambre, on percevait le son de la radio, et surtout le bruit d'un balai. C'était sa mère, Sylvie, qui comme chaque matin s'affairait dans la cour. Le balayage était en effet, la première chose à laquelle elle s'attelait à son réveil. Âgée de trente-neuf ans, Sylvie était secrétaire dans l'administration publique. Kouka ouvrit les fenêtres, et se pencha pour l'observer. Sa mère était en train d'asperger le sol avec un seau d'eau, pour se prémunir de la poussière. Puis elle se mit à l'ouvrage. Elle effectuait son balayage avec ardeur, à l'affût de la moindre saleté à irradier, et toujours dans la bonne humeur. Mais ce jour-là, elle s'irrita à cause de la poule du voisin, qui était venue saccager l'amas d'ordures qu'elle avait soigneusement assemblé. Elle poussa un hurlement strident, et chassa la poule à coup de balai. Kouka se mit à rire. Tout à coup, quelqu'un frappa à la porte de la chambre et appela :

« Kouka !

— J'arrive ! répondit-il. »

Comme de coutume, son père faisait la tournée des chambres pour réveiller ses trois garçons. Du haut de ses dix-huit ans, Kouka était l'aîné de la fratrie ; venaient ensuite Rolly et Armand, âgés respectivement de onze et neuf ans. Il termina de s'habiller, et alla prendre le petit déjeuner avec son père, dans le salon. Au bout de quelques minutes, celui-ci le questionna :

« Dis-moi fiston, as-tu eu des nouvelles de Cyr, depuis son arrestation ?

— Non ! répondit Kouka d'un air chagrin. Je ne sais toujours pas où il est.

— C'est vraiment triste ce qui lui est arrivé. N'oublie pas d'aller rendre visite à son père. Je pense qu'il en sera ravi.

— Oui, tu as raison papa. Mais rassure-toi, Gildas et moi avons prévu d'aller le voir après les cours.

— C'est très bien. Ta mère et moi irons lui rendre visite également, après le boulot. Dans ce pays, tout peut basculer d'un jour à l'autre, il faut savoir être solidaire, surtout si… »

Ya Samba s'interrompit, comme s'il eût craint d'en avoir trop dit, ce qui perturba profondément son fils, qui était en proie au déchirement depuis la veille. Que voulait laisser entendre son père ? Des pensées sombres, n'étant pas de nature à le rassurer, se mirent à défiler dans sa tête. Il chérissait Cyr comme un frère. Il lui était donc impossible de croire une seule seconde que l'irréparable s'était produit. Il préféra ne plus y penser, et alluma la radio pour se changer les idées. Un flash d'information sur Radio Liberté, attira tout de suite son attention, ainsi que celle de son père, lequel posa sa tasse de café sur la table, et se redressa de son fauteuil. « Augmente le son ! » dit-il à son fils.

« *Les Ninjas, miliciens fidèles à l'ancien Premier ministre, font de nouveau parler d'eux. Nous venons d'apprendre à l'instant que, plusieurs représentants du programme alimentaire mondial, en mission dans la région du Pool, ont été sauvagement assassinés tôt ce matin, dans la localité de Kinkala, qui est le chef-lieu de cette région. À noter que ces rebelles, en fuite depuis plus d'une année, n'en sont pas à leur coup d'essai. Le 15 septembre dernier, à Goma Tsé-Tsé, village situé à une vingtaine de kilomètres de Brazzaville, ils avaient également assassiné plusieurs personnes, parmi lesquelles figurait le sous-préfet de la localité. En plus des horribles forfaits, qu'ils commettent quasi quotidiennement, les Ninjas, qui ont maille à partir avec le nouveau gouvernement, vandalisent systématiquement tous les bâtiments officiels qui se présentent à eux. Nombre d'entre eux ont été incendiés. Le Porte-parole du gouvernement, Augustin Lokuta, devrait s'exprimer à midi. Il est fort probable qu'il annonce une série d'actions, visant à neutraliser ces insurgés, qui n'en finissent pas de semer le trouble dans le pays.* »

« Je ne sais vraiment pas ce qu'ils veulent ceux-là ! fit Ya Samba d'un air agacé. Chacune de leurs apparitions se solde par des meurtres. On ne construit pas un pays dans la violence. Et le plus inquiétant, c'est qu'ils se rapprochent dangereusement de Brazzaville.

— Moi aussi je ne comprends pas.

— Il n'y a rien à comprendre, mon fils ! Ils sont complètement fous. Depuis que leur chef, l'ancien Premier ministre a été condamné à l'exil, ils sont livrés à eux-mêmes et, n'ont pas de véritable stratégie. Voilà pourquoi ils abattent sans pitié, tous ceux qui ont la malchance de croiser leur chemin. Donc si tu veux mon avis, il vaudrait mieux que les forces gouvernementales arrivent à les contenir dans le Pool, sinon je crains le pire.

— Tu as certainement raison Papa. Mais en même temps, les forces gouvernementales ne sont pas mieux. Ce qui est arrivé à Cyr par exemple, tu trouves ça normal ? Tous les jours, à la télé et à la radio, on nous parle de paix, de vivre ensemble et de réconciliation nationale ; et pourtant, les gens continuent de se faire enlever ou assassiner. C'est pour ça que je n'écouterai pas, le discours de l'autre menteur à midi. »

Kouka faisait allusion à l'omnipotent ministre de la Communication, porte-parole du gouvernement, le tristement célèbre Augustin Lokuta. Depuis la fin de la guerre civile, c'était de loin l'homme le plus puissant du Congo. Il était imbu de sa personne et, à l'instar de nombre de ses confrères, ne devait sa place qu'au motif d'appartenir à la famille présidentielle. Avant la guerre, nul ne lui connaissait de véritable métier, ni même de formation académique ; cela n'empêcha pas pour autant, son cousin le Président, de le parachuter au prestigieux poste de ministre. Augustin Lokuta, qui était loin d'être un rhéteur, se mettait à l'ouvrage avec un zèle démesuré, multipliant les déclarations sujettes à caution. Il méprisait le peuple, qui le vouait en retour aux gémonies. Il portait au pinacle le président de la République, ou pourrait-on dire qu'il lui vouait un véritable culte.

D'ailleurs, toutes ses interventions dans les médias serviles congolais, avaient la singularité de comporter systématiquement une flagornerie adressée à son bienfaiteur : « Comme le veut le président de la République », « D'après le projet de société du président de la République », « Grâce à la sagesse de son excellence le président de la République »

Longue était la liste de toutes ces formulations ampoulées, qui lui valurent d'être affublé d'un sobriquet peu flatteur : « Le Président a dit »

Ya Samba, qui venait de jeter un œil à sa montre, proposa à son fils de poursuivre leur discussion plus tard : « Tu dois d'abord aller au lycée », dit-il. Sur ces entrefaites, sa femme

Sylvie entra dans la pièce, en nage, et avec le souffle court. On eût dit qu'elle venait de courir un marathon.

« Ah vous êtes là, tous les deux ! fit-elle.

— Qu'y a-t-il ? s'enquit son époux.

— Viens t'asseoir, lui dit Kouka, et raconte-nous tout. »

Sylvie voulut avant toute chose se désaltérer. Son fils lui apporta un verre d'eau, qu'elle but d'un seul trait. Après qu'elle eut repris son souffle, elle se redressa de sa chaise et leur apprit qu'un meurtre venait d'avoir lieu dans le quartier. Kouka et son père étaient ahuris. Ils lui demandèrent qui était la victime. Elle leur dit qu'il s'agissait de Luchana, le soûlard ; dont le corps sans vie venait d'être retrouvé en pleine rue. Elle avait appris cette triste nouvelle, en allant acheter du pain, quelques minutes plus tôt.

« Il y a des policiers partout, dit-elle. Et il paraît que la dépouille est toujours là, dans la rue. Mais je n'ai pas osé m'approcher.

— Qui a bien pu faire ça ? dit Ya Samba, qui était indigné par cette histoire. Luchana n'a jamais fait de mal à personne.

— Je ne sais pas chéri. D'après les policiers, il a été tué avec un couteau, ou quelque chose de très tranchant. »

Kouka, qui gardait le silence, écoutait attentivement sa mère. Il était fort perturbé, car l'enlèvement de Cyr, dont le sort était pour l'heure méconnu ; et le meurtre odieux de Luchana avaient eu lieu le même jour. Et même si les deux incidents n'étaient pas liés, il avait un mauvais pressentiment. Il prit congé de ses parents, et s'en alla séance tenante.

IV

Mû par l'envie de démêler l'intrigue de l'enlèvement de Cyr, Kouka résolut d'aller trouver la personne la mieux à même d'éclairer sa lanterne : Diallo le commerçant malien. Ce dernier disposait d'un solide réseau de renseignement, composé de sa clientèle, ainsi que d'autres commerçants originaires comme lui d'Afrique de l'Ouest, et regroupés au sein d'une association, dont il était le président. C'est dire si son influence était grande.

Ce matin-là, le quartier grouillait de monde. Des badauds, des vendeurs à la sauvette et des écoliers, s'entrecroisaient dans le brouhaha. Le vert, couleur réglementaire des transports en commun, inondait l'avenue Matsoua ; vu que taxis, bus et Cent-Cent avaient commencé leur service. Il faisait chaud, et l'air était vicié par la fumée et les relents de monoxyde de carbone, qui s'exhalaient des nombreux pots d'échappement. Sous d'autres cieux, des véhicules aussi vétustes n'auraient jamais été autorisés à circuler. Mais à Brazzaville, les pouvoirs publics faisaient peu de cas de cette pollution, ainsi que de ses répercussions sur l'état de santé des populations. Excepté les quelques nids-de-poule, qui avaient conservé un peu d'eau, l'avenue s'était plutôt bien remise de la pluie de la veille. Dans les rues alentour, le constat était tout autre. D'impressionnantes mares s'y étaient formées. À moins d'un 4x4, aucun véhicule ne pouvait s'y aventurer, et les piétons étaient obligés de patauger dans l'eau, ou de développer des aptitudes pour le saut en longueur. Ce triste scénario se produisait fréquemment, et il fallait quelquefois patienter toute une semaine, avant que l'eau ne disparaisse totalement. L'une de ces rues, qui portait le nom d'Archambault, était dans un tel état de délabrement après une pluie torrentielle, que les habitants du quartier, qui n'étaient jamais à court d'inspiration, vinrent à la rebaptiser « Rue des Grands Lacs ».

Sur le trottoir, les discussions étaient comme à l'ordinaire très animées. Certains parlaient de politique, de musique, de la dernière chanson du grand Koffi Olomidé. D'autres évoquaient des sujets de plus grande ampleur, tels que l'enlèvement de Cyr, qui avait suscité une vive émotion ; et bien sûr, la découverte du corps de Luchana, lardé de coups de couteau.

Kouka pénétra dans la boutique de Diallo, lequel s'affairait dans le fouillis d'articles, que son fournisseur venait de lui livrer. Il proposa aussitôt son aide au commerçant, et se saisit de l'une des grosses caisses posées sur la véranda.

« C'est gentil à toi, de me donner un coup de main. Ça va me permettre de gagner du temps. Les clients ne vont pas tarder à arriver, et je veux que tout soit en ordre.

— Pas la peine de me remercier ! répondit Kouka, qui découvrait à son grand étonnement, le poids de la caisse qu'il venait de soulever. »

Avançant à grand-peine, il questionna Diallo :

« Qu'est-ce qu'il y a dans celle-ci ? J'ai failli me briser le dos en la soulevant.

— La caisse que tu portes contient des boîtes de conserve, des sardines, je crois. Mais si tu trouves ça trop lourd, tu peux toujours prendre l'autre caisse, elle contient des verres en plastique. »

Piqué, le jeune homme rejeta la proposition.

« C'est bon, ça ira. Où veux-tu que je la dépose ?

— Derrière le comptoir. »

Kouka s'exécuta et alla chercher une autre caisse, qu'il déposa au même endroit que la précédente. Il renouvela l'exercice environ cinq fois, jusqu'à ce qu'il ne restât plus aucune caisse sur la véranda. Pour le remercier, Diallo lui proposa un soda frais. Harassé du fait de l'effort qu'il venait de fournir, il vida d'un trait le contenu de la bouteille. Puis, se tournant vers Diallo qui assemblait des boîtes d'allumettes sur une étagère, il commença à lui poser les questions qui le tourmentaient :

« Dis-moi, j'imagine que tu as appris ce qu'il s'est passé hier, dans le quartier ?

— Tu veux parler de quoi ? demanda Diallo, de sa voix nonchalante. De l'enlèvement de ton ami, ou du meurtre du soûlard ?

— De Cyr, mais je veux aussi savoir pour Luchana. Tout le monde ne parle que de ça.

— Tout ce que je peux te dire, c'est que ça ne sent pas bon du tout. C'est même très grave.

— Tu peux m'expliquer ?

— Je vais le faire, mais… »

Le commerçant s'interrompit. D'un œil inquiet, il regarda en direction de la porte de la boutique, qui était restée grande ouverte. Il saisit un trousseau de clés posé sur le comptoir, et alla fermer la porte à double tour. Kouka trépignait d'impatience. En même temps, il se sentait envahi par une forte angoisse ; car il redoutait ce qu'il était sur le point de découvrir. « Maintenant, assieds-toi ! Je vais te dire ce que je sais », lui dit Diallo.

Dans un premier temps, il déclara que ces deux affaires, qui avaient considérablement chamboulé la vie du quartier, étaient en quelque sorte liées. Puis, il laissa entendre que le rap ainsi que les diverses prises de position de Cyr n'étaient nullement les raisons pour lesquelles il avait été enlevé, comme le prétendaient faussement beaucoup de gens dans le quartier. S'il rencontrait tous ces problèmes, c'était avant tout à cause d'un homme, que tout le monde semblait avoir oublié : Capi, son frère aîné. En entendant ce nom, Kouka faillit tomber à la renverse.

« Mais, comment c'est possible ? Il est mort pendant la guerre !

— Justement non ! reprit Diallo d'une voix ferme, comme pour faire comprendre à Kouka, que l'heure n'était plus à l'ébahissement.

— C'est incroyable ! dit le jeune homme, qui écarquillait les yeux.

— Parle moins fort mon petit, on peut nous entendre. Je te rappelle que nous ne parlons pas de n'importe qui. »

Diallo ajouta d'une voix basse que, ces derniers temps, de nombreuses rumeurs couraient au sujet de Capi. Non seulement il était vivant, mais il semblait préparer quelque chose de très important. « Tu sais dans quoi est impliqué Capi, n'est-ce pas ? » demanda-t-il à Kouka, qui avait répondu par l'affirmative. Diallo déclara alors qu'en raison des actions menées par son frère, les heures de Cyr étaient probablement comptées. Kouka fut près de défaillir. Des larmes se mirent à couler le long de ses joues. Diallo tenta de le réconforter, en lui disant qu'il y avait peut-être un moyen de sauver son ami. « Quoi par exemple ? » lui demanda Kouka, la voix entrecoupée par des sanglots. Diallo lui suggéra de prendre attache avec Miangou, son voisin. Ce dernier, qui avait eu quelques bisbilles avec Capi dans le passé, avait néanmoins la possibilité d'intercéder auprès des éléments de la garde présidentielle, pour obtenir la libération de Cyr. Si bien sûr, il était toujours vivant. Mais Kouka rechigna à cette proposition, car Miangou, en sus d'être un bavard invétéré, était également réputé pour son extrême arrogance. Diallo lui rappela avec insistance que compte tenu de l'urgence de la situation, il valait mieux mettre de côté son ressentiment. Kouka se résigna. Comme il s'apprêtait à s'en aller, il se retourna brusquement et dit :

« Au fait !

— Oui ?

— Et concernant le meurtre de Luchana ? Pourquoi tu penses que c'est lié à l'affaire de Cyr ?

— Ah le soûlard ! Je l'avais presque oublié celui-là. »

Diallo se mit à lui relater les circonstances de ce drame. Luchana avait été poignardé dans la rue Ball, qui était située non loin de l'avenue Matsoua. Son cadavre n'avait été découvert qu'au lever du jour. Les forces de police, et plus surprenant encore, quelques agents de la DGST, c'est-à-dire la Direction Générale de Surveillance du Territoire, avaient été dépêchés sur place pour enquêter. Cette dernière information ne manqua pas d'interpeller Kouka ; car en temps normal, ce service redouté des Congolais ne s'occupait que des questions d'atteintes à la sûreté de l'État. « Justement, c'est une vraie affaire d'État », lui avait répondu Diallo. Il affirma avoir discuté avec Mâ Solange ; une dame qui habitait la maison devant laquelle, le cadavre avait été retrouvé. Elle avait été auditionnée par la police qui, au regard des informations qu'elle leur avait livrées, avait aussitôt décidé de contacter la DGST. Mâ Solange leur assura en effet, avoir été alertée par des bruits provenant de la rue, aux alentours de minuit. Il s'agissait de deux hommes ; l'un d'eux était Luchana.

« Je ne vois toujours pas le rapport avec Cyr, interrompit Kouka.

— Patience, c'est là que ça devient intéressant, car Mâ Solange se rappelle clairement, avoir entendu Luchana prononcer le nom de Makila. »

Kouka frémit.

« Makila ? s'écria-t-il. Lui aussi n'est pas mort ?

— Non. Et si Capi et lui sont dans les parages, ça risque de très mal finir. »

Kouka resta coi durant une poignée de secondes. Il lui fallait encaisser tout ce qu'il venait d'entendre. Il prit rapidement conscience que, la situation était beaucoup plus grave qu'il ne le pensait au départ. On était peut-être sans le savoir, au bord d'une véritable tragédie.

« Je vais devoir te laisser, dit-il, le lycée commence bientôt. Et même si je doute que ça puisse marcher, j'ai décidé de suivre ton conseil. Je vais aller voir Miangou.

— Fais-le, tu n'as rien à perdre. De mon côté, je vais essayer d'en savoir plus. Reviens me voir plus tard, j'aurais sûrement des trucs à te dire. »

V

Debout devant son comptoir, vêtu d'un costume bleu et chaussé d'une belle paire de JM Weston, Miangou faisait les comptes de la journée qui venait de s'écouler. Il arborait un large sourire, car ses affaires étaient prospères. Il était pour l'heure, l'un des premiers fournisseurs de pagnes haut de gamme de toute la capitale ; et son carnet de commandes était rempli, surtout à l'approche des fêtes de fin d'année. Sa boutique, qui portait le nom de « Mama Chic » regorgeait de nouveautés. Il s'approvisionnait jusque-là, auprès d'une coopérative de commerçants d'Afrique de l'Ouest. Mais depuis un certain temps, cet homme qui venait de fêter ses vingt-sept ans réfléchissait à la manière de travailler directement avec les fabricants, qui étaient situés aux Pays-Bas ; espérant ainsi pouvoir court-circuiter les intermédiaires, qui devenaient trop gourmands à son goût. Lorsqu'on pénétrait dans la boutique, on était d'abord accueilli par une forte odeur d'encens, que Miangou brûlait fréquemment, pour tenir à distance les mauvais esprits. Derrière le comptoir trônait le portrait géant du président de la République, revenu au pouvoir à la faveur de la guerre du 5 juin 97. C'était un homme que Miangou révérait. Les étoffes – multicolores en grande partie – étaient soigneusement rangées sur des étagères, de part et d'autre de la boutique. Sur la vitrine principale, il avait exposé des mannequins, qui portaient sur eux les dernières créations de son couturier personnel. Cette petite astuce lui permettait d'attirer le regard des passants les plus indécis, et de les contraindre à pénétrer dans la boutique. Il pouvait ainsi leur présenter tranquillement ses produits, et déclencher l'acte final d'achat.

Miangou se délectait tous les jours de sa réussite sociale. Il était beau, riche, ne manquait pas d'entregent et, avait implanté sa boutique dans l'une des rues les plus fréquentées, de ce qu'il restait du centre-ville. Une rue dans laquelle, ce parvenu aimait se pavaner durant sa pause, une cigarette à la bouche, serrant des mains tel un officiel, et distribuant des pièces aux cireurs de chaussures du coin. De plus, il commençait à prendre du ventre, ce qui lui procurait une joie ineffable ; car au Congo, le ventre était un véritable marqueur social. Plus il était gros, plus l'on était assimilé à quelqu'un de riche et puissant. Pour mieux endosser le costume du chef, et se donner plus d'importance, il avait récemment embauché un jeune de son quartier ; qu'il accablait de travail et rudoyait à longueur de journée. Toutes les femmes de la capitale fréquentaient « Mama Chic », et plus singulièrement celles du pouvoir, dont les époux faisaient partie du landerneau politique. Ces clientes privilégiées portaient les pagnes de Miangou lors des diverses manifestations publiques, organisées par leurs époux politiciens, et placées le plus souvent sous le haut patronage du président de la République. Certaines d'entre elles, libidineuses à souhait, terminaient régulièrement dans l'arrière-boutique de « Mama Chic ». Miangou y avait aménagé une petite chambre, dans laquelle il recevait presque tous les jours. Il n'éprouvait aucune gêne, à parler de ses conquêtes. Bien au contraire, il s'en vantait ouvertement ; allant jusqu'à citer les noms de leurs époux, et se gausser de leurs infortunes conjugales. S'il était aussi sûr de lui, c'est parce qu'il se savait assuré d'une certaine impunité, qu'il devait par-dessus tout à son statut de guerrier. Car avant de devenir un homme d'argent, Miangou était un milicien. Il avait activement participé à la guerre civile de 1997, en tant que Ninja. À dire vrai, c'était un transfuge. Au plus fort du conflit, il préféra rejoindre les rangs de la milice Cobra, leur livrant des informations décisives sur la stratégie adverse. Sous son costume d'homme d'affaires, se cachait en réalité un être épouvantable et sanguinaire. Il avait mené au tombeau des centaines de personnes, et violé plus d'une trentaine de jeunes femmes dans toute la capitale. Sa fortune, il la devait en grande partie au pillage, qu'il avait minutieusement organisé dans les quartiers sud.

À la fin de la guerre, sa part de butin atteignait environ dix millions de francs CFA. Ce fut avec cette forte somme d'argent, qu'il décida de se lancer dans les affaires. Il vivait dans l'infamie, et n'en éprouvait aucune honte. Dans ce pays en proie à l'anarchie, où les ravages de la guerre étaient visibles à chaque coin de rue ; et où la seule loi qui prévalait était celle du plus fort, il faisait partie de cette poignée de gens intouchables. C'était tout ce qui importait. Tous les jours, il était tiré à quatre épingles, et fréquentait les endroits huppés de Brazzaville, dans lesquels il rencontrait ses semblables ; des miliciens, qui comme lui, s'étaient racheté un statut social à la faveur de la guerre, et étaient passés des quartiers délabrés aux lambris dorés.

À rebours des autres ex-miliciens, qui à la fin de la guerre rejoignirent les rangs de l'armée, Miangou préféra rester dans la vie civile, moins contraignante à son goût. Toutefois, il se garda bien de restituer une bonne partie de ses armes, et demeurait membre d'une écurie. Et à la tombée de la nuit, il se livrait à des rapines ; menant la vie dure aux commerçants et aux habitants.

Lorsqu'on l'interrogeait sur ses agissements, il répondait avec outrecuidance, que tout le monde devait s'acquitter du fameux « effort de guerre ». Jamais il ne lui vint à l'esprit, de faire amende honorable. Toute cette ignominie en agaçait plus d'un, surtout à Bacongo où il continuait de résider. Mais par peur de représailles, personne n'osait se défendre. En effet, l'écurie dont Miangou était membre était placée sous la férule du très redouté général Etumba, homme lige du président de la République, directeur général de la police nationale. C'était lui qui autorisait toutes ces exactions.

Miangou venait de terminer ses calculs, et il décida comme après chaque journée de travail d'aller muser dans la ville, à la recherche du beau sexe. Comme il sortait de sa boutique, il vit arriver Kouka et Gildas.

« Salut, les gars ! Comment ça va ?

— Bonjour Yaya (grand frère) ! dit Kouka, qui aborda de front le sujet qui le préoccupait. Nous venons te voir, car nous avons un problème.

— C'est pour de l'argent ? demanda crânement Miangou, qui ne manquait jamais une occasion de faire étalage de sa richesse.

— Non, dit Gildas, qui masquait à peine son agacement.

— C'est pourquoi alors ?

— On vient te voir pour te parler de Cyr, dit Kouka. Je ne sais pas si tu es au courant, mais il a été enlevé hier après-midi, et on ne sait toujours pas où il est. »

Miangou fronça les sourcils.

« On parle bien du frère de Ca…

— Oui, coupa Gildas, qui souhaitait gagner du temps, c'est bien de lui qu'il s'agit. Ils l'ont enlevé hier, sans le moindre motif.

— Hum, ça reste à voir, dit Miangou d'un air dubitatif, il y a toujours un motif. Ce pays est dirigé, je vous rappelle. Racontez-moi comment les choses se sont passées. »

Kouka se chargea de lui relater les événements, Gildas ne fit qu'acquiescer. Après les avoir longuement écoutés, l'ancien milicien reprit la parole :

« C'est mauvais signe. Malheureusement, je ne peux rien pour vous, votre pote est peut-être déjà mort.

— Mais grand frère ! fit Kouka, consterné. Tu ne peux pas nous dire ça ! Nous savons que tu as beaucoup de relations. Essaie au moins de faire quelque chose !

— D'après ce que tu m'as expliqué, ce sont les hommes du général Etumba qui ont enlevé votre ami, et non ceux de la garde présidentielle. Mais ça ne change rien, car de toute manière les ordres viennent d'en haut. Donc je ne peux rien pour vous. Je respecte trop son Excellence le président de la République, pour m'opposer à ses décisions. Si Cyr a été enlevé, il y a forcément une bonne raison. »

Miangou se montra intraitable. Kouka et Gildas ne perdirent pas espoir pour autant. Ils lui firent simplement comprendre que s'il ne les aidait pas, les choses n'iraient qu'en s'empirant ; a fortiori avec l'incident fâcheux de la veille, à savoir le meurtre sordide de Luchana.

« Le soûlard a été tué ?

— Oui, dit Kouka. Il a été poignardé hier soir. Et il paraît même que c'est un ancien ami à toi qui l'a tué.

— Qu'est-ce que tu me racontes, petit ? Évite de te moquer de moi !

— Mais c'est vrai, répliqua Kouka, on dit que c'est Makila qui l'a tué. »

Le visage de Miangou se décomposa instantanément. On eût dit qu'il venait d'apercevoir un fantôme. Les deux amis se regardèrent avec satisfaction, et des sourires espiègles se dessinèrent sur leurs visages. Ils comprirent qu'ils avaient réussi à déstabiliser l'ancien milicien, lequel demeura pensif durant quelques secondes. Puis, il se donna une contenance, leva la tête et leur assura qu'il allait faire feu de tout bois, pour obtenir la libération de Cyr ; car c'était son devoir, dit-il, de veiller à la sécurité des habitants de son quartier. Il déclara que c'était grâce à son support, que le président de République avait gagné la guerre, l'année précédente. Ce dernier ne pouvait, par conséquent, rien lui refuser. « Il sait ce qu'il me doit ! lâcha-t-il d'une voix hautaine. Donc ne vous inquiétez pas, je me charge de tout. » Kouka et Gildas se confondirent en remerciements.

Puis, Miangou se lança comme à son habitude, dans un long monologue, vantant tantôt sa richesse nouvellement acquise, tantôt ses bonnes fortunes auprès de la gent féminine. Les deux autres, trop euphoriques à la perspective de revoir Cyr, faisaient peu de cas des billevesées débitées par ce hâbleur, pour qui rien, à part l'argent et le pouvoir, ne semblait avoir d'importance. Il monta ensuite dans sa voiture, qui était garée sur le trottoir, et leur dit : « Je vous laisse ! J'ai beaucoup de rendez-vous importants. Je verrai plus tard, ce que je peux faire pour votre copain ».

VI

La DGPN, c'est-à-dire la Direction Générale de la Police Nationale, se trouvait dans une rue lugubre et déserte du centre-ville de Brazzaville, où peu de gens osaient s'aventurer. Une longue barrière métallique barrait l'entrée principale ; et les gardes installés dans leur guérite avaient pour consigne de ne laisser passer que les voitures officielles. C'était sans conteste, l'un des endroits les plus redoutés du pays ; la simple évocation de son nom suffisait à donner des sueurs froides aux populations. Toutes les voix dissonantes du régime du président de la République – celles qui commettaient le crime de lèse-majesté – y étaient détenues, sans autre forme de procès. On retrouvait ainsi dans ses geôles des opposants politiques, des membres de la société civile, des intellectuels, des artistes, ainsi que quelques étudiants. Ils y étaient suppliciés, avec une perversion qui n'avait d'égal, que la hauteur de la muraille qui entourait la bâtisse. De quoi faire passer à ceux qui étaient encore libres, l'envie d'user de la liberté d'expression.

Sans frapper à la porte, le capitaine Songui-Songui pénétra en compagnie d'un sous-officier dans le secrétariat du directeur de la police nationale, le placide général Etumba. « Bonjour Sabine ! dit-il. J'ai rendez-vous avec le patron. Vous pouvez m'annoncer ? »

L'assistante du général, une jeune femme d'une vingtaine d'années, semblait fort affairée. Elle affecta de ne pas entendre l'officier, ce qui agaça fortement ce dernier. Peu disposé à supporter des simagrées, il répéta sa phrase à haute et intelligible voix : « J'ai dit que j'avais rendez-vous avec le chef ! »

Sabine daigna enfin lui répondre. Elle le regarda fixement, et lui fit comprendre que le général était en rendez-vous. Il allait devoir patienter. Elle crut bon d'ajouter :

« Et puis, vous n'êtes pas obligé de crier pour vous faire entendre. Je ne suis pas encore sourde.

— Mais pour qui elle se prend celle-là ! fulmina le capitaine, qui était près de bondir sur la jeune femme. »

Il fut stoppé juste à temps, par le sous-officier qui l'accompagnait. Celui-ci lui susurra à l'oreille que, comme la plupart des jeunes femmes travaillant à la DGPN, c'était la maîtresse du Grand patron ; pour ne pas dire l'une de ses préférées. Ce qui expliquait peut-être, son trop-plein d'assurance. S'en prendre à elle, revenait donc à s'attirer de sérieux problèmes. Le capitaine se résigna, car les paroles du sous-officier étaient frappées au coin du bon sens : « Vous avez raison caporal ! dit-il. Asseyons-nous et patientons. Mais elle ne perd rien pour attendre celle-là. »

Ils s'affaissèrent sur un canapé. Le capitaine, qui semblait s'être calmé, se prit tout à coup lorgner la jeune assistante de son patron. Tout bien considéré, malgré son impertinence, elle ne le laissait pas indifférent. « Elle est arrogante cette garce. Mais qu'est-ce qu'elle est bonne », murmura-t-il entre ses dents.

Puis, il tourna son regard vers la porte du bureau de son chef, qui était attenant au secrétariat. Il voulut demander avec qui le général s'entretenait, mais il craignit de se faire rembarrer par l'autre pimbêche. Soudain, la porte en question s'ouvrit.

Machinalement, le capitaine et son subalterne se levèrent et se mirent au garde-à-vous. Sabine en fit autant. Le général Etumba sortit de son bureau, en compagnie d'un autre homme clé de l'appareil sécuritaire du pays, le général Liboma, chef d'état-major général des Forces armées congolaises. Les deux hommes qui s'esclaffaient ne prêtèrent nullement attention à ceux qui se trouvaient dans la pièce. Ils sortirent du bureau de l'assistante, et disparurent dans le corridor. Le général Etumba reparut au bout d'une dizaine de minutes. Sabine et les deux policiers se mirent derechef au garde-à-vous. Avant de regagner son bureau, il s'arrêta sans se retourner, et interpella son assistante :

« Sabine, passez me voir tout de suite !

— À vos ordres, mon général ! répondit cette dernière avec enjouement. »

Elle se leva, se remit du rouge à lèvres, ajusta sa jupe courte, et sortit de son tiroir un paquet de préservatifs. Puis, elle entra d'un pas décidé dans le bureau de son patron, sous le regard médusé des deux hommes ; lesquels durent patienter environ une heure, avant que Sabine ne refît surface, haletante, échevelée et le chemisier boutonné à moitié. « C'est bon, vous pouvez y aller. Le patron est prêt à vous recevoir », leur dit-elle, toute honte bue.

À l'odeur de cigare qui inondait la pièce se mêlaient les effluves des deux corps qui, quelques instants plus tôt, s'étaient adonnés aux plaisirs de la chair. Au centre de la pièce, deux imposants canapés en cuir se faisaient face, séparés par une petite table en marbre, sur laquelle étaient posés deux verres et une bouteille de vin, entièrement vidée de son contenu. Le général Etumba était assis en face de son bureau, sur lequel étaient disposés pêle-mêle plusieurs documents. Il avait le regard tourné vers la fenêtre, qui se trouvait du côté droit de la pièce. Derrière son siège était accroché un portrait du président de la République : l'homme à qui il devait tout. Il l'accompagna dans sa reconquête du pouvoir, durant la guerre civile de 1997. Il lui obéissait au doigt et à l'œil. La cinquantaine révolue, cet officier sagace formé dans l'ex-URSS, dirigeait la police d'une main de fer. Sa vie n'était rythmée que par les intrigues du pouvoir, et les coups bas. Il se défiait de presque tout le monde. Sur une simple instruction de sa part, on était convoqué à son bureau, et les chances de ressortir vivant de cette convocation étaient infimes.

Il vit entrer les deux hommes, mais ne leur adressa pas tout de suite la parole ; préférant savourer le cigare cubain qu'il venait d'allumer. Après trois bouffées, il se redressa de son fauteuil, fixa ses yeux perçants sur le capitaine Songui-Songui, et l'interpella sans préambule, de sa voix sépulcrale :

« Avez-vous exécuté mes ordres ?

— Oui mon général, répondit le capitaine. »

Il confirma avoir procédé à l'interrogatoire de Cyr qui, de toute évidence, n'était pas au courant des agissements de son frère : Destin, alias Capi. Et le rapport d'enquête, fourni par les agents en faction dans son quartier, corroborait amplement cette version. Le capitaine déclara également qu'il n'avait pas jugé nécessaire d'interroger maître Nzouzi. Car étant donné que celui-ci, passait toutes ses journées dans son atelier ; il était peu probable qu'il fût entré en contact avec son fils aîné. Le général Etumba ordonna alors que l'on renforçât en toute discrétion, la surveillance de leur domicile.

« À vos ordres, fit le capitaine.

— Et ce satané Capi, il n'a toujours pas été repéré ?

— Non mon général. Cela fait plusieurs mois que nous savons qu'il est en vie. Mais vu qu'il ne reste jamais plus d'une nuit au même endroit, ça rend les choses plus difficiles. Je peux toutefois vous affirmer avec certitude qu'il est bien la cheville ouvrière de la rébellion Ninja. Et d'après ce qui m'a été rapporté, les attaques de Goma Tsé-Tsé et de Kinkala étaient placées sous son commandement direct. »

Le visage du général s'assombrit. Il enrageait de savoir que Capi, avait réussi à dépister la police ; cette institution qu'il commandait. Considérant cela comme un affront, il se mit à pousser des rugissements. « Ces petits cons de rebelles Laris ne perdent rien pour attendre ! lâcha-t-il. Nous devons mettre les bouchées doubles pour les stopper. Quant à Capi, je veux qu'il soit capturé, mort ou vif. »

Il rappela ensuite au capitaine que c'était une question éminemment politique. Car la rébellion Ninja, portée par des sudistes, n'avait pas d'autre but que de provoquer la chute du président de la République ; et compromettre ainsi « l'avenir des Mbochis » dans l'appareil étatique. L'idée que cela fût possible le rendait davantage fou de rage. Et il martela à plusieurs reprises : « Ils ne toucheront pas à notre pouvoir ! Il appartient aux nordistes. » Il s'ensuivit un moment de silence, durant lequel le général semblait réfléchir. Puis, il reprit la parole sur un ton plus calme :

« Je sais qu'il y a de plus en plus d'infiltrés Ninjas, dans les quartiers sud. Assurez-vous qu'ils soient tous neutralisés.

— À vos ordres, répondit le capitaine. D'ailleurs, je tiens à vous informer que l'un de ces infiltrés a été repéré hier soir, à Bacongo. Il s'agit du dénommé Makila, un proche de Capi. Il a assassiné un ivrogne dans la rue Ball, non loin de l'avenue

Matsoua. L'ivrogne l'avait probablement reconnu, je pense que c'est pour cette raison qu'il a voulu s'en débarrasser.

— Et comment a-t-il fait pour entrer dans Brazzaville, sans que nous n'en soyons informés ?

— Il semblerait que…

— Parlez capitaine ! dit le général avec emportement. Je veux des réponses !

— C'est que… balbutia l'officier, les Ninjas sont aidés par certains habitants des quartiers sud, qui les prennent pour des héros.

— Eh bien, nous allons leur faire passer l'envie d'aider ces rebelles, et de comploter contre le pouvoir en place. Fouillez les maisons, les Ngandas, et les véhicules en provenance des villages. Bref, arrangez-vous comme vous voulez, mais trouvez-moi ces fumiers de Ninjas. Et que toutes les personnes, suspectées de les soutenir, soient placées aux arrêts. »

Le capitaine acquiesça.

« Et concernant le jeune Cyr ? demanda-t-il.

— Dans quel état est-il ?

— Nous l'avons bien amoché durant l'interrogatoire.

— Dans ce cas, achevez-le et débarrassez-vous de la dépouille.

— Sauf votre respect mon général, dit timidement le capitaine.

— Qu'est-ce qu'il y a encore ?

— Ne pensez-vous pas, qu'il serait préférable de lui laisser la vie sauve, pour l'instant ?

— Et pourquoi ?

— Il pourrait nous être utile, en servant d'appât. Car même s'il n'a aucune nouvelle de son frère, je suis certain que tôt ou tard, Capi finira par le contacter, et nous n'aurons qu'à le cueillir à ce moment-là. Un des hommes de votre écurie, Miangou, que vous connaissez bien d'ailleurs, est venu me trouver il y a une heure. Comme vous le savez, il a des antécédents avec les Ninjas. Il nous a donc proposé son aide pour les appréhender. Il pense aussi que le jeune homme devrait rester en vie, pour les raisons que je viens de vous évoquer. »

Le général demeura de nouveau silencieux. Il se leva, et se mit à marcher de part et d'autre de la pièce, les deux mains derrière le dos.

« C'est entendu, dit-il brusquement, laissez-lui la vie sauve… pour l'instant. Nettoyez ses blessures et ramenez-le chez son père. Nous nous servirons de lui, pour prendre Capi au trébuchet. »

À ces mots, il les congédia. Le capitaine Songui-Songui fit un signe de la tête à son subalterne, qui était resté muet durant toute l'entrevue. Après que les deux hommes eurent quitté son bureau, le général Etumba alla se rasseoir sur son fauteuil. Il termina le verre de Whisky posé sur sa table de travail, et hurla : « Sabine ! Dans mon bureau, tout de suite ! »

***

Cyr était retenu captif au sous-sol de la DGPN. Il partageait sa cellule avec six autres codétenus, embastillés comme lui, sur la base d'accusations ne reposant sur aucun fondement juridique. Une odeur nauséeuse s'exhalait de la cellule, car les prisonniers, parqués comme des bêtes, étaient contraints de faire leurs besoins sur place. Entre les interrogatoires musclés et les conditions inhumaines de sa détention, il s'étonnait d'être toujours en vie. Il était assis contre un mur et, considérait le soupirail qui laissait pénétrer parcimonieusement, quelques rayons de soleil. À côté de lui, un homme qui se disait enseignant n'avait de cesse de geindre. Il avait été arrêté quatre jours auparavant. On lui reprochait son esprit caustique, et on disait qu'il incitait ses élèves à la sédition. Cyr eut de la peine pour lui, mais aussi pour les autres détenus, qui avaient tous fait un tour dans la salle des interrogatoires. Toutefois, depuis quelques heures, les conditions de sa détention, ainsi que les douleurs provoquées par les coups qu'il avait reçus, lui importaient peu. Il était mû par une joie débordante, car il avait récemment appris, que son grand frère était vivant.

Au début des années 90, Destin faisait partie des Forces armées congolaises. Mais le contexte politique de l'époque qui avait ravivé les tensions ethniques, et favorisé la création des groupes armés, le poussa à déserter. Il fut très vite happé par la milice Ninja composée en majorité de gens de son ethnie, les Laris. Dès son arrivée chez les Ninjas, il attira rapidement l'attention sur lui. Par son courage et sa maîtrise de l'art du combat, il grimpa sans coup férir les échelons de la hiérarchie. Enlèvements, meurtres et séquestrations faisaient partie de son quotidien. Il inspirait la crainte à tout le monde, excepté à son jeune frère Cyr, avec qui il avait toujours été prévenant. Comme la plupart des miliciens, il opta pour un nom de guerre, et décida de se faire appeler Capi ; une contraction de Capitaine, un grade fictif qu'il s'était octroyé en rejoignant la milice.

Cyr et son père avaient pleuré sa mort durant des mois. Une mort qui était survenue, disait-on, au mois de septembre 1997, lors d'un ultime affrontement à Mfilou, le septième arrondissement de Brazzaville. Le choc fut général, car nombreux à l'époque le pensaient invulnérable. Malgré l'absence de dépouille, de discrètes obsèques furent organisées, dans un petit cimetière, situé à une dizaine de kilomètres de la capitale. Mais pour Cyr, tous ces souvenirs étaient dorénavant caducs ; car son frère était vivant.

Un bruit le ramena à la réalité. Il entendit quelqu'un crocheter une serrure. La porte qui se trouvait au bout du long corridor s'ouvrit, laissant pénétrer un faisceau de lumière, qui vint éblouir tous les prisonniers. Deux hommes en uniformes parurent. Le capitaine Songui-Songui et son subalterne s'approchèrent des barreaux. Cyr et les autres prisonniers furent épouvantés, car l'arrivée de ces deux hommes sans foi ni loi ne pouvait signifier qu'une chose, l'un d'entre eux allait de nouveau être malmené. Or, à leur grand étonnement, ce ne fut guère le cas. « Cyr Nzouzi, lève-toi ! Tu es libre », fit le capitaine d'un ton péremptoire.

VII

La nouvelle de la libération de Cyr se répandit telle une traînée de poudre dans tout le quartier. Parents, amis, voisins et anonymes affluèrent en nombre chez maître Nzouzi, dans le but de partager avec lui ce moment de réjouissance. Kouka et Gildas qui sortaient du lycée furent les derniers à arriver. Ils trouvèrent Cyr assis sur une chaise dans la cour. Dès qu'il aperçut ses deux amis, le jeune homme se leva, fendit la foule qui l'entourait et se jeta dans leurs bras. Après qu'ils eurent terminé leurs effusions, Cyr qui claudiquait les entraîna à sa suite, à l'intérieur de la maison. « Ici, nous serons tranquilles », dit-il. À peine avaient-ils pris place sur des fauteuils, que Gildas se prit à le mitrailler de questions ; le forçant à les entretenir de tout ce qu'il s'était passé, depuis le jour de son enlèvement. Mais Kouka s'y opposa fermement, arguant que leur ami devait avant tout recouvrer une bonne santé ; car il avait parfaitement conscience que ce séjour en prison n'avait pas été une sinécure : « Tu nous raconteras ça plus tard, pour l'instant tu dois te reposer », conclut-il. Gildas n'eut pas d'autre choix que de se soumettre à cette volonté.

« C'est d'accord, fit-il. Mais dis-nous au moins comment tu te sens.

— Je vais beaucoup mieux qu'hier, et je suis content d'être rentré chez moi. J'ai vraiment cru que j'allais y passer. »

Cyr parlait d'une voix faible, et faisait peine à voir. Ses lèvres étaient tuméfiées, et son arcade sourcilière était ouverte. On eût dit qu'il venait de participer à un combat de boxe. C'étaient là les stigmates de son passage, dans les locaux de la tristement célèbre DGPN. Tout à coup, les trois amis furent interrompus par la voix de maître Nzouzi, qui appelait son fils : « Cyr ! J'ai besoin de toi ici. »

Ils sortirent aussitôt de la maison. La cour, bruyante quelques minutes auparavant, était devenue silencieuse. Maître Nzouzi fit signe à Cyr d'approcher. Il le prit par la main, et s'adressa ensuite d'une voix solennelle à tout le monde : « Je ne vais pas être long. Vous avez été nombreux à m'avoir soutenu ces derniers jours, et je voulais simplement vous en remercier. Sans vous, cette épreuve aurait été difficile à supporter. »

Puis il se tut, agita la bouteille de vin qu'il tenait dans son autre main, et vida son contenu sur le sol. Faire des libations dans de telles circonstances, c'était pour lui, une manière de dire toute sa reconnaissance aux mânes de ses ancêtres, auxquels il était fortement attaché. Il estimait qu'ils avaient forcément été d'un grand secours, dans le dénouement de cette situation, qui paraissait au départ inextricable. Il remercia de nouveau toutes les personnes présentes, serra quelques mains et raccompagna ceux qui commençaient à s'en aller. Kouka et Gildas étaient eux aussi sur le départ. Ils convinrent avec Cyr de se revoir plus tard dans la semaine, une fois qu'il se serait totalement remis de ses blessures.

« Pas de soucis les gars, répondit-il. On se voit dans quelques jours.

— Merci d'être venus les enfants, dit à son tour maître Nzouzi. Cyr a vraiment de la chance de vous avoir dans sa vie.

Rentrez bien, et surtout, n'oubliez pas de saluer vos parents de ma part. »

Maître Nzouzi alla ensuite s'installer dans la maison avec son fils ; lequel lui avait fait comprendre dès son retour, qu'il avait à lui parler, d'une chose très importante. Comme ils s'apprêtaient à passer le seuil de la porte, ils virent arriver l'apprenti.

« Maître ! dit révérencieusement ce dernier. J'ai fermé l'atelier, comme vous me l'aviez demandé. Tout est en ordre. Donc si vous n'avez plus besoin de moi, j'aimerais vous demander la permission de m'en aller.

— C'est parfait. Merci à toi, mon petit Victor. Tu peux t'en aller maintenant, ça ira pour aujourd'hui.

— À demain maître. »

Victor s'adressa ensuite à Cyr :

« Je suis content de te revoir. Repose-toi bien.

— Merci, Victor. Passe une bonne soirée. »

Et l'apprenti partit à la hâte, retrouver Makila, afin de lui faire part de la libération récente de Cyr.

***

Kouka arriva tout essoufflé devant l'arrêt de bus, situé non loin de son domicile. Un bus y était stationné, et une palanquée de clients se bousculaient pour monter à bord. Une semaine s'était écoulée, depuis la libération de Cyr. Comme de coutume, le rabatteur du bus, qui faisait également office de contrôleur, s'époumonait pour appâter les clients, annonçant les différentes dessertes : « Hôpital », « Moungali », « La ville », « La gare » Cependant, le bus ne démarrait pas avant une bonne dizaine de minutes. Kouka, qui était déjà en retard à son rendez-vous avec Cyr et Gildas, ne pouvait se permettre d'attendre ; il préféra héler un Cent-Cent. Comme tous les taxis collectifs de Brazzaville, le véhicule qui s'arrêta devant lui était déjà rempli de passagers. Un homme d'un certain âge, grand, ventru et dégoulinant de sueur, descendit à l'arrière et lui fit signe de monter. Cette guimbarde n'avait que cinq places, mais à l'instar de l'ensemble de ses pairs, le chauffeur ne fixait aucune limite dans l'accueil de ses clients, faisant fi de toutes les règles élémentaires de sécurité. Sa seule contrainte était de pouvoir refermer les portes du véhicule. Et bien entendu, personne ne portait de ceinture de sécurité ; mais le chauffeur n'en avait cure. En cas de contrôle, il n'avait qu'à sortir un billet de son escarcelle, pour soudoyer les officiers de police. À l'intérieur, le confort était sommaire. Kouka se retrouva ainsi coincé à l'arrière, en compagnie de trois autres personnes, toutes pourvues d'un embonpoint excessif, et exhalant des odeurs corporelles atroces. Deux autres clients se partageaient le siège passager à l'avant. À cet instant précis, le jeune homme se demanda s'il n'était pas préférable de descendre, et de continuer à pied. Au bout du compte, il en prit son parti, et demeura dans le Cent-Cent, qui démarra quelques secondes plus tard. Bien que les fenêtres fussent ouvertes, la chaleur suffoquait les passagers ; qui néanmoins devisaient sur toutes sortes de banalités. Pour mettre de l'ambiance, le chauffeur avait mis de la musique religieuse. Kouka, de son côté, comptait les minutes qu'il lui restait à tenir dans ce cercueil roulant.

Un quart d'heure plus tard, il retrouva ses deux copains. Pour fêter leurs retrouvailles, ils avaient décidé d'aller se promener sur les bords du fleuve, plus précisément à la « Main Bleue » C'était en quelque sorte un port clandestin, qui depuis plusieurs années, alimentait l'économie informelle de la capitale congolaise. Il se trouvait à l'est de Bacongo. Avant la guerre civile, il était contrôlé exclusivement par la milice Ninja, qui rançonnait continuellement les pêcheurs et les commerçants. Mais depuis la fin du conflit, ce port était passé entre les mains de deux écuries de miliciens Cobras, qui se partageaient amplement les revenus issus du racket et de la contrebande. Le gros des transactions avait lieu durant la nuit. Néanmoins, un poste de contrôle avait été installé en contre-haut, pour surveiller les allées et venues. Or, ce jour-là, les soldats censés contrôler le passage, indolents au possible, se délassaient en jouant aux cartes, à l'ombre d'un avocatier. Kouka et ses deux amis passèrent devant eux sans jamais se faire inquiéter. Ils marchaient avec circonspection, car le sol était glissant. Ils empruntèrent un long sentier, qui serpentait au milieu de plantations, dans lesquelles des cultivatrices, armées de houes et de machettes s'activaient, galvanisées sans nul doute, par le retour de la saison des pluies. Malgré l'absence de soleil, une touffeur implacable se faisait sentir.

Après plusieurs minutes de marche, ils arrivèrent enfin sur les bords du puissant fleuve Congo. Comme à chacune de leurs escapades, les trois amis s'exaltaient devant cette merveille de la nature, qui s'écoulait devant eux dans toute sa majesté. Ils allèrent s'asseoir à quelques mètres de l'eau, et se mirent à considérer le paysage sans mot dire. D'abord masqué par des nuages grisonnants, le soleil finit par paraître. La journée s'annonçait radieuse.

Du fait de son important débit, le fleuve Congo était considéré comme étant le deuxième le plus puissant du monde, après l'amazone. C'était une force de la nature, qui entretenait une relation ambivalente avec les populations ; car elles appréciaient sa beauté, autant qu'elles le redoutaient. De nombreux pêcheurs, et des baigneurs y perdaient régulièrement la vie. Quand cela se produisait, l'explication la plus simpliste était qu'ils avaient été sacrifiés de manière occulte. En effet, dans ce pays où les croyances animistes étaient prégnantes, le fleuve revêtait une forte dimension mystique. C'était le repaire des sirènes et autres génies des eaux. Nombre de féticheurs venaient s'y recueillir fréquemment. Kouka et ses deux compères, incrédules jusqu'à l'excès, faisaient partie de ces jeunes gens qui méprisaient ces croyances. Ils les qualifiaient de fantaisistes et de surannées.

À quelques mètres du rivage, on apercevait trois pirogues qui s'approchaient lentement. Les pêcheurs présents à l'intérieur pagayaient avec ardeur et chantaient à gorge déployée. À en croire leurs visages nimbés de joie, la pêche du jour avait été fructueuse. Des dizaines de personnes, des femmes pour la plupart, toutes en quête de poisson frais, les attendaient sur la terre ferme pour s'approvisionner. D'autres pêcheurs, assis au bord de l'eau, étaient en train de fignoler leurs filets de pêche. Et dans le ciel, une nuée de hérons virevoltait, attendant le moment propice pour chasser le poisson. Des trois, Kouka était celui qui affectionnait le plus ce lieu si singulier. Il avait l'impression d'y être coupé du monde, et se délectait de chaque instant qu'il y passait. De l'autre côté du fleuve, on apercevait Kinshasa, capitale de la République démocratique du Congo, distante d'à peine cinq ou six kilomètres de Brazzaville. C'étaient les deux capitales les plus proches au monde. Leur proximité était telle, que de part et d'autre, on pouvait clairement distinguer les buildings et les habitations qui bordaient le fleuve. Et le soir, on voyait les deux villes briller de mille feux.

« Bon, raconte ! dit Gildas, n'y tenant plus. Comment ça s'est passé chez ces fous de la police ?

— Calme-toi Masta (mon pote), répondit Cyr en souriant, je vais tout te raconter.

— Attends, fit Kouka, moi aussi j'ai des trucs à te dire. »

Il rapporta mot à mot, ce qu'il avait appris par l'entremise de Diallo. Cyr était éberlué par la pertinence de ces informations. Il confirma à ses deux copains que Capi, son frère, était bel et bien vivant. Il était, selon toute vraisemblance, à la tête de la rébellion Ninja qui sévissait dans la région du Pool, depuis quelques mois. Kouka et Gildas n'en revenaient pas. Cyr déclara ensuite que bien qu'il ignorât où Capi pouvait se trouver, il avait l'intime conviction que celui-ci n'était pas très loin ; qu'il était planqué dans quelque recoin de Brazzaville, à l'instar de Makila, attendant patiemment le moment propice pour se dévoiler. Par la suite, il se mit à leur conter ses déboires, de son enlèvement à sa libération le lendemain ; leur détaillant sans ambages, les mauvais traitements qu'on lui avait infligés dans les geôles de la DGPN. Car le général Etumba, qui traquait avec acharnement les rebelles, s'était mis dans la tête qu'il était de connivence avec Capi. Il avait donc ordonné à ses hommes d'employer la manière forte pour obtenir des aveux. Dans ce récit, Cyr s'appesantit singulièrement sur le cas du capitaine Songui-Songui, qu'il avait maudit à maintes reprises durant son incarcération. Il lâcha quelques mots à son endroit : « Celui-là, je n'ai pas intérêt à le retrouver seul dans rue. Sinon je le tue ! » À peine avait-il prononcé cette phrase, qu'il ressentit une douleur fugace au niveau de bas-ventre ; à croire que le fait de ressasser tous ces mauvais souvenirs réveillait inévitablement d'anciennes souffrances.

Kouka et Gildas étaient admiratifs du courage dont il avait fait montre ; d'autant qu'une personne sur deux ressortait de la DGPN les pieds devant. Cyr avait clairement conscience, de sa chance d'être encore en vie. Il avoua aux deux autres que son père, paniqué à l'idée de le perdre, lui avait enjoint d'arrêter le rap, qui était à ses yeux synonyme de problèmes. Il avait obéi de bonne grâce, car il comprenait parfaitement ce qui motivait la décision de maître Nzouzi ; lequel avait perdu sa femme durant la guerre et, n'avait appris que très récemment, que son fils aîné était toujours vivant.

Il avait néanmoins concédé à Cyr, le droit de continuer ses entraînements de foot. À ce propos, ses copains lui relatèrent le dernier match, celui auquel il n'avait pas participé, et qui s'était terminé par une violente rixe. Ils se tordirent de rire durant plusieurs minutes, se moquant de leurs rivaux, de l'équipe Boma Nioka. Puis, ils revinrent à des sujets beaucoup plus sérieux, à savoir les études ; passant en revue les projets qui avaient été avortés du fait de la guerre. Tous les trois étaient censés se présenter aux épreuves du bac, en 1997. Ils ambitionnaient ensuite de partir à l'étranger. La France était, bien entendu, leur point de mire. Gildas était le plus avancé dans ses démarches. Son père avait en effet réussi à lui obtenir une inscription à l'université de Nanterre, en région parisienne. Kouka et Cyr, avaient également pris langue avec quelques universités françaises, il ne leur manquait plus qu'à concrétiser. Or, la guerre débuta trois semaines avant le début des examens, anéantissant par voie de conséquence, leur rêve de quitter le pays.

Cela ne faisait que deux mois qu'ils avaient enfin retrouvé le chemin de l'école ; après une année blanche, imposée par le ministère de l'Éducation nationale. Ils étaient assidus aux cours, et s'efforçaient de se remettre à niveau ; en attendant qu'une nouvelle date leur fût communiquée, pour enfin passer les examens. Et ils espéraient ardemment qu'aucun incident malencontreux, notamment sécuritaire, ne viendrait de nouveau perturber leur scolarité. Gildas leur rapporta que son père semblait confiant, quant à l'organisation dans de bonnes conditions, des examens et concours. Mais ses propos étaient, selon son fils, sujets à caution ; surtout depuis qu'il était devenu membre du parti au pouvoir. Car il prenait fait et cause, pour le président de la République en toute circonstance, et ce, malgré son bilan chaotique à la tête du pays. Son enthousiasme était d'autant plus grand, qu'il avait récemment été nommé Conseiller, auprès du ministre des Grands Travaux. Il savourait pleinement les honneurs, et les avantages dus à son nouveau rang, et n'autorisait plus personne à l'appeler par son prénom. Il fallait se montrer obséquieux, et dire « Monsieur le Conseiller ». De plus, il ne se déplaçait plus qu'à bord de son 4x4 de fonction, flambant neuf et assorti d'un chauffeur. Et dire qu'il fut un temps, où il se définissait comme « opposant », et faisait constamment des gorges chaudes, sur le parti au pouvoir. Mais c'était de l'histoire ancienne. Depuis, il avait fini par succomber au chant des sirènes.

« Et qu'est-ce qu'elle en pense ta mère ? » demanda Cyr. Gildas répondit qu'elle était impuissante face aux lubies de son père ; lequel lui avait offert une flopée de tee-shirts et de pagnes, à l'effigie du président de la République. Il la contraignait à les porter constamment. C'était, disait-il non sans fierté, la meilleure manière de montrer leur appartenance au pouvoir, aux gens du quartier. Gildas s'était lui aussi vu octroyer quelques articles, venus tout droit du siège du parti majoritaire. Bien entendu, il était hors de question pour lui de les porter ; car il n'approuvait guère le nouveau style de vie, que son père tentait de lui imposer. Il avait conscience que toute cette ostentation, attisait la convoitise et, par-dessus tout, la colère du voisinage.

Car Bacongo – il ne fallait pas l'oublier – était un quartier où une bonne partie des habitants, originaires du sud du pays, étaient foncièrement hostiles au président de la République, qui était pour sa part originaire du nord. Il ne faisait aucun doute, que si les choses venaient à s'envenimer, tout ce beau monde chercherait à se venger. Kouka et Cyr lui recommandèrent une extrême prudence, surtout avec tous les Ninjas qui s'étaient infiltrés dans la ville.

« Ne vous inquiétez pas les gars. Je fais gaffe.

— En tout cas bravo ! dit Kouka d'un air goguenard. Tu fais maintenant partie du Poupou (du pouvoir). Tu es devenu un vrai fils à papa !

— Arrête de dire des conneries ! rétorqua Gildas, agacé. Tu sais très bien que ça ne m'a jamais intéressé. »

Ses deux copains se mirent à rire. Kouka leur avoua qu'à l'inverse du père de Gildas, le sien avait une profonde aversion pour la politique, et singulièrement pour les membres de la majorité présidentielle. Il disait que ce n'était qu'un ramassis d'incompétents, et d'opportunistes ; et que nombre d'entre eux n'avaient jamais obtenu leur baccalauréat. Ce qui les rendait inaptes, à présider aux destinées des Congolais. Ils éclatèrent de rire, en pensant à ce que pouvait donner une discussion entre ces deux pères, dont les points de vue étaient diamétralement opposés.

Le soleil entamait graduellement sa descente, et de faibles grondements, annonçant sans nul doute un orage, commençaient à se faire entendre. Ils décidèrent immédiatement de rebrousser chemin. Tout le long du trajet, Gildas n'avait de cesse de maugréer, chaque fois qu'il apercevait les banderoles du parti au pouvoir. On les voyait à chaque coin de rue, comportant des messages divers tels que : « Vive la paix au Congo », « Merci

Papa Président, l'homme des actions concrètes » ou encore « Plus Jamais Ça ! »

Kouka, quant à lui, avançait en silence et considérait le paysage qui, malgré le bouillonnement du quartier, était morne. Çà et là, les stigmates de la guerre étaient visibles. On voyait des maisons abîmées par des impacts de balles, d'autres étaient complètement calcinées. Étrangement, sur certaines d'entre elles, l'odeur de brûlé semblait ne pas s'être estompée. Et elles exhalaient une certaine mélancolie. Des carcasses de voitures incendiées étaient également disséminées dans tout le quartier.

Ils passèrent dans une rue, où ils virent de jeunes enfants en train de folâtrer, ou pour être plus précis, en train de jouer aux soldats ; fredonnant des chansons qui faisaient clairement l'éloge de la guerre. L'un d'eux tenait dans ses mains une douille de Kalachnikov, qu'il avait probablement ramassée au fond d'un caniveau, ou dans une poubelle. Cette scène mettait en lumière la triste réalité de la société congolaise, laquelle était marquée du sceau de la violence, du fait des conflits armés à répétition, et ce depuis 1993. Durant les quatre mois qu'elle avait duré, la dernière guerre avait ôté la vie à des centaines de milliers de personnes, arraché des sourires aux lèvres, et brisé quantité de familles. Kouka constata l'ampleur de ce carnage en revenant de Louingui, au mois d'octobre 1997. À cette époque, Brazzaville n'était plus qu'un champ de ruines, foisonnant de macchabées, qui avaient amplement fait le bonheur des chiens errants et des charognards. Et une odeur putride s'exhalait de ces multiples corps en décomposition.

Certaines rues avaient été totalement désertées par les habitants, tant l'odeur qui emplissait l'air était insupportable. Puis, l'état entreprit le ramassage des dépouilles, et les gens purent de nouveau regagner leurs habitations. La ville avait aussi vu le nombre de veuves, d'orphelins et d'éclopés, augmenter de manière considérable. Il faisait nuit, et les trois jeunes hommes, silencieux, poursuivaient leur chemin. Et ils se mirent tout à coup à sourire, car ils commençaient à apercevoir au loin, la lumière émanant des réverbères de l'avenue Matsoua.

VIII

Deux mois s'étaient écoulés, depuis le passage de Cyr dans les locaux de la DGPN. Le mois de décembre 1998, ponctué de fortes pluies, était bien entamé. Du reste, la situation ne s'était guère améliorée. En quête d'infiltrés Ninjas, le capitaine Songui-Songui, bras armé du général Etumba, ratissait nuit et jour les rues des quartiers sud de Brazzaville. Il avait mobilisé pour cela, tous les fins limiers de la police, et avait fait ériger des checkpoints que les populations avaient rebaptisés « bouchons », dans tous les endroits stratégiques. Chaque véhicule était obligatoirement arrêté, et inspecté minutieusement. Les maisons où habitaient les proches des miliciens Ninjas, étaient toutes perquisitionnées. Les communications téléphoniques étaient surveillées, tous les courriers interceptés, et le moindre message suspect pouvait valoir une arrestation à son auteur. Le nombre d'enlèvements avait également augmenté. Mais en dépit de toutes ces mesures de sécurité, aucun Ninja ne fut appréhendé, et plus personne n'entendit parler de Makila.

De leur côté, Kouka et ses compères s'efforçaient tant bien que mal de reprendre une vie normale, oscillant entre leurs études et le football. Ce jour-là, ils décidèrent de se rendre au Centre Culturel Français. On était un samedi après-midi. Le

CCF, comme on avait coutume de l'appeler, était situé à la sortie de Bacongo. On passait inévitablement devant son imposante bâtisse, pour accéder au centre-ville de Brazzaville. Il possédait une grande bibliothèque, mais aussi plusieurs salles de spectacle. C'était le point de convergence entre les jeunes du nord et du sud de Brazzaville, entre les plus démunis et ceux appartenant à la jeunesse dorée ; dont les parents appartenaient au microcosme politique, au pouvoir.

L'arrivée de ces derniers, dans des véhicules de luxe aux vitres teintées, ne passait d'ailleurs jamais inaperçue. Ils étaient examinés de la tête aux pieds, par la foule, qui se répandait par la suite en commentaires. Certains officiels faisaient le déplacement en personne, pour déposer leurs enfants sur les lieux. Des Ministres, des députés ou encore des hauts gradés de l'armée, défilaient ainsi durant tout l'après-midi. On pouvait presque penser qu'ils se passaient le mot avant de venir.

Le CCF ce jour-là était en ébullition. Tous les jeunes de la ville, avaient fait le déplacement pour assister au concert d'un célèbre groupe de rap sénégalais, les Positive Black Soul. En attendant leur entrée en scène, la foule au-dehors, continuait de guetter l'arrivée des personnalités. Ce fut le ministre de la Santé qui ouvrit le bal, accompagnant l'une de ses filles, à la réputation sulfureuse. Son arrivée fit sensation. Il était quatorze heures. Engoncé dans un costume bleu, le port altier et le crâne chauve, le ministre avançait d'un pas très lent ; et toute la foule s'effilochait devant lui. Telle était la crainte, qu'inspiraient les hommes du pouvoir. À l'instar de ses collègues du gouvernement, il était flanqué de deux gardes du corps et d'une sorte de laquais, qui attira tout de suite l'attention sur lui. C'était un monsieur de petite taille, aux cheveux grisonnants et au visage adipeux. Il était aussi condescendant que son chef, mais avait une allure compassée. Il marchait à grand-peine, et devait presque jouer des coudes, pour se frayer un passage au milieu de tous ces jeunes, qui était loin de lui témoigner des égards.

Les personnages de cette espèce étaient légion dans l'entourage des puissants. C'étaient des hommes à tout faire qu'on ne savait jamais situer sur le plan professionnel. On se contentait de les appeler « Simba Sac », autrement dit les porteurs de mallettes.

Il était environ quatorze heures trente, lorsqu'un 4x4 de marque japonaise s'arrêta devant le CCF, avec à son bord, Cyr, Kouka et Gildas. Les trois amis avaient au départ, prévu de s'y rendre en taxi, mais le père de Gildas les avait enjoints de venir dans sa voiture avec chauffeur. À l'instar de ses amis politiques, il tenait également à les accompagner pour se montrer en public.

« Quand on a un père qui appartient au pouvoir, avait-il dit à son fils, on ne peut plus se permettre de prendre le taxi. Que penseraient les gens, si je te laissais faire ? »

Gildas monta dans la voiture de mauvaise grâce. Mais il fit la moue durant tout le trajet, ce qui provoqua les moqueries de ses deux copains, assis à côté de lui, à l'arrière du véhicule. Cyr était celui qui menait la danse. Il marmonnait en ricanant : « Tu fais partie du Poupou quand même ! Comment peux-tu oser prendre un taxi ? C'est inadmissible de la part d'un Fils à papa ! »

Le père de Gildas, qui avait reconnu la voiture du ministre de la Santé en arrivant, décida de l'attendre, pour le saluer, disait-il. Mais son fils devina aisément qu'il allait de nouveau se livrer à quelque flagornerie, pour entretenir ses relations politiques. Ne voulant pas assister à une scène aussi avilissante, il fit signe à Kouka et Cyr. Ils s'esquivèrent en douce. Quand ils se furent éloignés, Gildas les abandonna pour aller acheter des glaces. Il s'engouffra dans la cohue, et disparut aussitôt. Devant l'entrée principale, le spectacle se poursuivait. Filles et garçons s'étaient endimanchés, et se livraient aux mêmes excentricités que les sapeurs de Bacongo, toisant et jaugeant leurs adversaires. À l'évidence, nombre de ces jeunes étaient plus attirés par ces pitreries, que par les activités culturelles que proposait le CCF. Kouka et Cyr, qui étaient étrangers à ce genre de pratiques, considéraient cela avec amusement. De temps en temps, certaines demoiselles s'arrêtaient tout près d'eux. Elles leur faisaient les yeux doux, et adoptaient des poses lascives, pour les appâter. Mais les deux jeunes hommes, peu intéressés par des profils aussi tapageurs, détournaient systématiquement leur regard. Ce qui leur valait d'essuyer des insultes ou des Tchips. Et ils se mettaient à rire.

Alors qu'ils attendaient le retour de Gildas, ils reconnurent dans la foule un collègue du lycée, dénommé Aya. Ils allèrent au-devant de lui. Ce jeune homme turbulent et belliqueux, s'enorgueillissait à longueur de journée, de la position sociale de son père, qui était d'après ses dires, un proche parent du président de la République. Pour ne pas déroger à la règle, lui aussi s'était mis sur son trente-et-un.

« Comment ça va les gars ? dit-il.

— Salut Aya ! répondit Cyr.

— Ça fait longtemps qu'on ne t'a pas vu au lycée ! dit Kouka. »

Aya ne perdit pas de temps, pour se répandre comme à son habitude en futilités. Dédaigneusement, il laissa entendre qu'il était peu probable, qu'il retournât un jour dans leur lycée « public ». En effet, son père prévoyait de l'inscrire dans un institut privé, beaucoup plus adapté à ses yeux, à son statut social. Dans le même temps, il profitait de la vie qui lui souriait amplement ; surtout depuis que son père – il ramenait tout à ce dernier – s'était vu octroyer un poste stratégique, au sein de la société nationale des hydrocarbures. Aya ajouta que le pouvoir étant éphémère, il n'avait aucune retenue dans ses dépenses. D'ailleurs, il préparait un voyage pour Paris, où il ambitionnait de passer les fêtes de fin d'année. Et compte tenu de la position qu'occupait – encore une fois – son père, l'ambassade de France, lui avait très vite accordé un visa.

« Et le Bac ? Tu ne comptes pas le réviser ? lui demanda Cyr, qui était médusé par tant d'insouciance.

— Le Bac attendra Masta ! répondit Aya l'air agacé. Comme je vous l'ai dit, j'ai mieux à faire pour l'instant. »

Il se tut durant quelques secondes, et plongea sa main dans la poche intérieure de sa veste. Il en sortit une enveloppe ouverte ; laquelle contenait une grosse liasse de billets. Les deux autres n'en crurent pas leurs yeux. Aya, qui ne les lâchait pas du regard, poussa un ricanement sardonique. Tout en soupesant son enveloppe, il leur dit : « Avec ça les gars, aucune meuf ne va me résister cet après-midi. Certaines ne te regardent même pas, si tu es fauché. » Puis, il fourra de nouveau l'enveloppe dans sa poche, et s'en alla sur-le-champ ; laissant Kouka et Cyr pantois. Ils constatèrent à regret, qu'à l'instar de tous ceux dont les parents avaient accédé au pouvoir après la guerre ; Aya avait complètement perdu la raison. Kouka se prit à repenser aux paroles, frappées au coin du bon sens, que son père avait prononcées un jour qu'ils déjeunaient ensemble : « Le pouvoir, mon fils, c'est comme l'alcool, ça peut rendre ivre ! Surtout dans notre pays. » Et il avait enjoint son fils, à toujours se tenir à l'écart, des gens qui étaient plongés dans cette ivresse du pouvoir. Aya faisait partie de cette engeance. Kouka se jura dorénavant de ne plus le fréquenter, afin dit-il, de rester dans la droiture, que ses parents lui avaient inculquée. Cyr, préférant parler d'autre chose, lui demanda :

« Bon, dis-moi, tu penses que Babingui viendra aujourd'hui ?

— J'espère, répondit Kouka, avec une légère altération dans la voix, comme s'il redoutait d'aborder ce sujet. Elle me l'a promis en tout cas. »

Cyr éclata de rire. Babingui était une jeune fille scolarisée dans leur lycée, qui intéressait énormément Kouka ; mais la pusillanimité du jeune homme l'empêchait de faire le premier pas. Ce qui ne manquait pas d'agacer son copain Cyr. Ce dernier ne cessait de le sermonner et de le pousser à agir ; arguant du fait qu'il tenait là une perle rare, une jeune fille qui, en sus d'être très belle, était intelligente et avait de bonnes manières. En un mot, quelqu'un qu'il ne fallait absolument pas laisser filer. De plus, celle-ci devait partir à l'étranger, une fois qu'elle aurait obtenu le Bac.

« C'est maintenant que tu dois conclure mon gars ! dit-il. Sinon, tu risques de le regretter. Je suis très sérieux.

— Je sais, je sais ! répondit Kouka, légèrement agacé. »

Il avoua à son copain que la raison pour laquelle il atermoyait autant était qu'il redoutait de recevoir une rebuffade. Si tel était le cas, il savait qu'il ne s'en remettrait pas facilement. Cependant, Cyr n'avait cure de ces arguments ; ils étaient à ses yeux, irrecevables. Il fit promettre à Kouka, ou plus exactement, lui enjoignit de régler cette situation dans les jours à venir. Et il le mit en garde, concernant le fait que d'autres personnes dans le lycée, beaucoup moins hésitantes que lui, avaient commencé à conter fleurette à la jeune fille. Soudain, il s'interrompit, donna un coup de coude à Kouka, et dit à mi-voix : « Ah, quand on parle du loup ! » En effet, Gildas était enfin de retour. Et il n'était pas seul, Babingui était à ses côtés. « Regardez qui j'ai trouvé en chemin ! » dit-il d'un air triomphant. Le visage de Kouka s'illumina instantanément. Elle s'approcha de lui, et le salua chaleureusement. Le jeune homme, charmé, resta muet quelques secondes, avant de murmurer des paroles en partie inintelligibles. On put néanmoins percevoir dans ce charabia, les mots « Bien » et « Merci » ; ce qui fit sourire la jeune fille. Gildas et Cyr, qui observaient eux aussi cette situation cocasse, tentaient de toutes leurs forces, de ne pas exploser de rire. Babingui engagea la discussion, ce qui permit à Kouka de se détendre. Cyr y mit du sien également. Il feignit d'être offusqué, et se mit à dire :

« Et moi alors ? On ne me dit pas bonjour ? C'est parce que je ne m'appelle pas Kouka ?

— Mais non ! répliqua Babingui, gênée. J'allais y venir, c'est juste que, je ne voulais pas l'interrompre. Comment vas-tu ?

— Que c'est beau l'amour ! poursuivit Cyr d'un air moqueur. Elle ne voulait pas interrompre "Son Kouka". Eh bien, puisque c'est comme ça, on vous abandonne. Allez viens Gildas ! Nous sommes de trop, j'ai l'impression. »

Et les deux amis s'en allèrent, en faisant à Kouka des clins d'œil grotesques, à peine discrets. « Qu'est-ce qu'ils sont bêtes ! » fit-il, légèrement embarrassé. Babingui se mit à rire. Kouka lui proposa ensuite d'aller s'asseoir à quelques mètres du CCF, pour fuir le vacarme de la foule, qui ne cessait de croître. Durant plusieurs minutes, ils parlèrent de la pluie et du beau temps. Puis, une chose en amenant une autre, ils en vinrent à parler d'eux. Là aussi, ce fut Babingui qui mena la danse. Elle reprocha à Kouka d'être de plus en plus rare au lycée, comme s'il tentait de l'éviter. Pris de court par cette remarque, le jeune homme chercha à se défendre âprement.

« Pourquoi je chercherais à t'éviter ?

« — Je ne sais pas, répondit Babingui en riant. À toi de me dire. »

La jeune fille, qu'il soupçonnait également d'éprouver des sentiments à son endroit, lui tendait à n'en pas douter une perche, qu'il hésitait toutefois à saisir. Ils continuèrent de se renvoyer la balle, jusqu'à ce que Babingui – probablement agacée –, fît une digression : « Sinon, tu as prévu d'emprunter des livres aujourd'hui ? » fit-elle.

Toutes ces circonlocutions rendaient Kouka nerveux. Il se tut, et se mit à la considérer méticuleusement. Elle portait des ballerines blanches et une jolie robe rose, qui lui arrivait aux genoux, parsemée de dessins en forme de fleurs. Sur sa tête, elle arborait de fines tresses enchevêtrées, assorties aux extrémités de jolies perles marron. Kouka était sous le charme. Il sentait que le moment fatidique était arrivé, et qu'il devait se jeter à l'eau. Mais en même temps, il était mû par une crainte incoercible, celle d'échouer ; et il n'arrivait pas à se défaire de ce sentiment. Son cœur battait à tout rompre. Il lui sembla même que ses jambes se ramollissaient, comme si elles eussent voulu s'effondrer sous le poids de son corps.

Durant un court instant, il se demanda s'il n'eût pas mieux valu prendre ses jambes à son cou, et rentrer chez lui. Au moins s'éviterait-il une situation humiliante. Mais soudain, il repensa à Cyr, qui lui avait donné l'éveil, lui disant qu'il fallait agir vite, car d'autres personnes dans le lycée s'intéressaient également à la jeune fille. Ce dernier argument acheva de le persuader. Il reprit tout de suite du poil de la bête. Il regarda Babingui droit dans les yeux, et lui dit :

« N'essaie pas de changer de sujet. Dis-moi clairement à quoi tu penses.

— À la même chose que toi, répondit-elle avec assurance. »

84

Puis à son tour, elle se mit à le regarder fixement dans les yeux, comme si elle eût voulu l'empêcher de se dérober. Kouka comprit qu'il n'était plus question de faire marche arrière. Et il se lança :

« Tu parles de mes sentiments pour...

— Eh vous deux. Dépêchez-vous ! »

C'était la voix de Cyr, qui venait de stopper Kouka dans son élan. « Le concert est en train de commencer, dit-il. On doit y aller maintenant, si on veut avoir de bonnes places. » Il saisit Kouka par le bras, et l'entraîna à sa suite. Babingui marchait derrière eux.

***

C'était un soir de pleine lune, et un silence de mort régnait dans la cour de l'école de la Glacière, située en lisière de Bacongo. Les seuls occupants étaient trois chats, qui erraient de part et d'autre de la cour en quête de nourriture ; notamment les rongeurs qui pullulaient dans l'enceinte de l'école. Tout à coup, un bruit vint troubler le silence et les fit s'arrêter. Leur regard resta figé sur une ombre, qui escaladait ardemment le mur d'enceinte de l'école. L'homme qui venait de poser le pied au sol, s'avança vers la rangée d'arbres qui bordaient le mur et, chassa à grand renfort de cailloux, les trois félins qui s'élancèrent aussitôt dans la direction opposée. Ils allèrent s'arrêter à une dizaine de mètres, et se mirent à considérer de leurs yeux fluorescents, la mystérieuse silhouette qui venait de gâcher leur partie de chasse. Victor était nerveux. Pour atteindre l'école, il avait dû esquiver au moins trois checkpoints, et se cacher chaque fois qu'il entendait le vrombissement d'un 4x4. C'était la croix et la bannière, pour se déplacer à une heure aussi tardive, dans les rues désertes de Bacongo ; plus encore depuis que le capitaine Songui-Songui, avait entamé sa chasse aux rebelles Ninjas. Seuls les officiels, qui disposaient pour la plupart de laissez-passer, arrivaient à se déplacer sans encombre. Victor marcha jusqu'au bâtiment central, et s'arrêta devant une salle de classe noyée dans l'obscurité. Il siffla trois fois, et attendit quelques secondes. De l'intérieur, une personne siffla également à trois reprises. Victor poussa un soupir de soulagement, et pénétra dans la salle de classe, dont la porte était grande ouverte. « Te voilà enfin. Je commençais à croire que tu t'étais perdu », lui dit Makila, qui venait d'allumer une torche électrique. Victor lui fit aussitôt part de ses inquiétudes, quant au fait de continuer de se rencontrer nuitamment, surtout avec l'accroissement des patrouilles de police. Makila, pour sa part, semblait relativiser la situation.

« Les gens du pouvoir pensent que ça va nous stopper, fit-il en ricanant, mais ils ne savent pas ce qu'on leur réserve. Je suis moi-même obligé de faire attention. Depuis que j'ai tué le soûlard, tout le monde sait que je suis dans la ville. Mais on s'en fiche. Sinon, comment ça se passe à l'atelier ? »

Victor lui répondit que tout allait bien, tant du côté de Cyr, que de celui de maître Nzouzi. Il affirma cependant, avoir repéré à plusieurs reprises, des policiers en civil, surveillant le domicile.

« C'est normal ! dit Makila. Maintenant qu'ils savent que le chef a repris du service, ils sont très nerveux. D'ailleurs, Capi m'a communiqué de nouvelles instructions. Il faut que nous soyons prêts, pour la semaine prochaine.

— Déjà ? s'étonna Victor.

— Oui. Beaucoup de nos frères sont déjà à Brazzaville, ils se cachent en attendant qu'on leur donne le signal. Les autres arriveront par Nganga-Lingolo. Je n'ai pas encore le jour, mais ça devrait démarrer entre jeudi et vendredi prochain. Au fait, tu as terminé ta liste ?

— Oui, la voici. »

Victor sortit de sa sacoche plusieurs feuilles, qu'il tendit à Makila ; lequel les scruta rapidement, au moyen de sa torche électrique.

« Parfait ! dit-il d'un air satisfait, elle nous sera très utile.

— Et quels sont mes ordres ?

— On te dira tout d'ici quarante-huit heures. En attendant, continue de veiller sur Cyr et son père.

— C'est entendu !

— Maintenant file. Que Saint-Michel te garde. »

IX

Contrairement aux autres jours, ce matin-là, Kouka fut prompt à se lever. Le jeune homme était au comble de la joie ; et pour cause, Babingui et lui avaient convenu de se voir après les cours. Il entendait bien saisir cette occasion, pour s'épancher auprès de la jeune fille. Le rendez-vous avait été fixé à midi, devant la Case De Gaulle. C'était la somptueuse résidence, dans laquelle habitait l'ambassadeur de France au Congo. Située non loin du fleuve, elle fut construite durant la Seconde Guerre mondiale, pour accueillir le général Charles de Gaulle en personne. Il y séjourna d'ailleurs, lors de ses séjours à Brazzaville, qui fut entre 1940 et 1943 « la capitale de la France Libre. » Kouka avait choisi ce lieu à dessein. En effet, les abords de la Case de Gaulle étaient peu fréquentés en milieu de journée. On y rencontrait certes quelques étudiants, mais ces derniers venaient avant tout pour réviser leurs leçons. On les voyait marcher en silence sur le gazon, semblables à des moines dans un monastère, tenant dans leurs mains qui un cahier, qui un livre, qui un fascicule. C'était incontestablement l'endroit parfait ; et cette fois-ci, rien ni personne ne viendrait entraver cette rencontre. Son père, qui venait de pénétrer dans sa chambre, s'étonna de le voir debout de si bonne heure. Kouka le gratifia d'un sourire béat, et se contenta de lui dire : « Comme tu le dis souvent papa, l'avenir appartient à ceux qui se lèvent tôt. »

Puis il alla se préparer, et son euphorie ne manqua pas d'amuser le reste de la famille. Au-dehors, le soleil se levait progressivement, et on distinguait déjà le bourdonnement de l'avenue Matsoua. La ville s'éveillait lentement. À sept heures, Kouka fut prêt pour le départ. Et avant de partir, il biffa comme à l'accoutumée la date, sur le calendrier accroché au mur de sa chambre. On était le vendredi 18 décembre 1998. Une date, qui resterait gravée à jamais dans sa mémoire. Il dit ensuite au revoir à tout le monde, et il sortit de la maison.

Avant de prendre le chemin du lycée, il fit un saut chez Mère Sidonie, la vendeuse de beignets. Elle tenait un étal au petit marché de Tâ Nkeoua, qui était situé de l'autre côté de l'avenue. Ne prenant que très rarement son petit déjeuner à la maison, surtout les jours de classe, Kouka avait coutume d'acheter des Boules d'ambiances et du Tangawis, auprès de cette vendeuse. Il la trouva en train de s'activer, avant l'arrivée des clients ; et toujours avec le sourire. Ils échangèrent quelques mots, puis elle s'occupa de sa commande. Comme il cherchait dans sa poche de quoi payer, elle l'en empêcha d'un geste de la main.

« Pour aujourd'hui, dit-elle tout sourire, c'est Ofélé (gratuit).
— Ah, c'est vraiment gentil de ta part ! »

Elle fit comprendre à Kouka qu'elle le faisait de bonne grâce, car il était l'un de ses plus fidèles clients. De plus, ils n'allaient pas se revoir avant un certain temps, vu qu'elle partait pour Pointe-Noire dès le lendemain, assister au mariage de l'une de ses nièces. Elle comptait ensuite y passer les fêtes de fin d'années. Kouka fut ravi de l'apprendre, car la pauvre dame travaillait sans relâche ; à tel point qu'on aurait su dire, à quand remontaient ses dernières semaines de vacances.

« Amuse-toi bien dans ce cas, dit-il. Ça va te faire du bien de te reposer.

— Merci, mon fils. »

Cependant, malgré ses sourires, quelque chose semblait tracasser Mère Sidonie. Kouka lui posa directement la question. Elle lui répondit qu'elle était inquiète, de ne pas voir arriver certaines de ses collègues du marché. Ce qui était anormal, étant donné que le vendredi était le jour où il y avait le plus de clients. Kouka promena son regard sur la place du marché, et constata en effet que quantité d'étals étaient vides. Il tenta de la rassurer, et plaisanta sur le fait que les vendeuses avaient également le droit de faire des grasses matinées. Mère Sidonie éclata de rire, et abonda dans son sens. « Tu as certainement raison, mon fils. Allez, passe une bonne journée. On se revoit à mon retour de Pointe-Noire », finit-elle par conclure. Kouka lui dit au revoir, et s'en alla en pressant le pas. Il longea l'avenue, et tomba au bout de quelques minutes sur Gildas. Les deux copains n'avaient pas fait cent mètres ensemble, qu'une Renault Safrane bleue, vint s'arrêter devant eux. Les vitres teintées se baissèrent, et ils reconnurent instantanément Miangou. Ce dernier leur demanda de ne pas bouger, car il avait à leur parler. Il descendit alors de sa voiture, et s'approcha d'eux. Il était vêtu d'une belle chemise blanche, à manches courtes, d'un jean délavé ; et aux pieds, il portait une paire de mocassins marron. Des lunettes de soleil noires venaient clore cet habillement. « Vous avez vu la bagnole dans laquelle je roule ? Je viens de l'acheter », lâcha-t-il d'entrée de jeu, avec cet air altier, dont il ne pouvait se défaire. Kouka et Gildas le complimentèrent, sans en rajouter ; car ils ne voulaient pas subir une fois de plus, son incontinence verbale.

Miangou leur demanda des nouvelles de Cyr. Et il leur rappela par la même occasion qu'il avait dû faire jouer toutes ses relations au sein du pouvoir, pour obtenir sa remise en liberté. Les deux amis se confondirent en remerciements, car ils lui savaient gré des efforts qu'il avait mobilisés. Ils étaient toutefois conscients qu'il tirait forcément avantage de cette situation. Miangou leur rappela avec hauteur que c'était son devoir de veiller à la sécurité des gens du quartier. Puis, il leur adressa une mise en garde, concernant Cyr, dont le frère n'était pas apprécié des gens du pouvoir. Il leur dit sur un ton impérieux : « Dites-lui de se tenir tranquille, car on le surveille. Et si j'apprends qu'il fricote avec Capi, j'irai le buter moi-même. »

Pour donner plus de force, à cette menace à peine voilée, il enleva ses lunettes et foudroya du regard les deux jeunes hommes, lesquels étaient terrorisés. Il prit ensuite congé d'eux, car il devait, disait-il, rattraper une nuit blanche, passée en compagnie de la fille d'un député. Il leur donna chacun un billet de cinq mille francs CFA. « Buvez à ma santé », lança-t-il, avant de remonter dans sa voiture, et de s'élancer à vive allure sur l'avenue Matsoua.

« Toujours aussi vantard celui-là ! fit Gildas avec dédain.

— C'est clair ! répliqua Kouka. Mais il a contribué à la libération de Cyr, alors nous lui devons un peu de respect.

— Oui, tu as raison. »

***

Vers neuf heures, le professeur de mathématiques distribua les copies du dernier devoir sur table. Kouka eut comme souvent la meilleure note. Ce qui lui valut de recevoir force compliments, de la part du professeur. Il lui dit : « Continuez ainsi, et le Bac ne sera qu'une partie de plaisir. » D'habitude, Kouka accueillait ce genre de compliments avec plus d'enthousiasme. Mais ce jour-là, son esprit était ailleurs. Il n'avait de cesse de regarder sa montre, et de penser à son rendez-vous imminent avec Babingui. Il brûlait d'impatience. Mais il n'était que huit heures et demie. Il lui fallait patienter quelques heures de plus. Et cette attente lui paraissait interminable. Le professeur commença ensuite la correction du devoir. Et comme à son habitude, il désigna au hasard, un de ses élèves. Son choix se porta sur Gildas : « Levez-vous s'il vous plaît ! Vous corrigerez la première équation. » Des ricanements se firent aussitôt entendre ; car on connaissait le pitoyable niveau de Gildas en mathématiques. Celui-ci se leva de mauvaise grâce, et se dirigea vers le tableau. Soudain, un son singulier, mais très familier retentit au loin, et fit sursauter tout le monde. Les visages se crispèrent aussitôt. Chacun se demandait, si son audition ne lui jouait pas un mauvais tour. Des bourdonnements commencèrent à s'élever dans la salle de classe, mais le professeur les arrêta sèchement : « Silence ! » tonna-t-il.

Malgré sa voix autoritaire, il avait du mal à masquer l'effroi qui peu à peu commençait à se lire sur son visage. On entendait des crépitements ininterrompus. Et il n'y avait plus l'ombre d'un doute, il s'agissait bien de coups de feu. La gorge serrée, Kouka mit du temps à l'admettre également ; mais comme le reste de la classe, il dut rapidement se faire une raison. Il se tourna vers Gildas, qui avait regagné sa place. Ce dernier se contenta de hausser les épaules. À en juger par la fréquence des tirs, un affrontement avait lieu, quelque part dans Brazzaville. Le professeur décida d'aller trouver le proviseur, pour s'enquérir de la situation. Il ordonna à tous les élèves de se tenir tranquilles, et de ne surtout pas s'approcher des fenêtres. Puis il s'en alla au pas de course. Un vacarme épouvantable se répandit aussitôt dans la classe. Faisant fi des consignes de sécurité données par le professeur, Kouka et ses collègues, allèrent errer dans le couloir, qui était comble et tumultueux. Tout le monde y allait de sa théorie. Un élève s'arrêta en plein milieu de la foule et hurla : « On est tous est foutu. » Un autre lança : « Les coups de feu viennent de la présidence. » Puis un troisième : « C'est forcément un coup d'État. » Face à toutes ces conjectures, Kouka et Gildas ne savaient clairement plus où donner de la tête.

Les affrontements semblaient se rapprocher, car on percevait davantage les tirs nourris. Au bout d'une quinzaine de minutes, plusieurs professeurs revinrent et demandèrent à leurs élèves respectifs de regagner les salles de classe. Kouka et ses camarades s'exécutèrent. Leur professeur qui était en émoi préféra rester debout. Son visage s'était complètement décomposé. Il chercha ses mots durant quelques secondes, puis il prit la parole d'une voix chevrotante. D'entrée de jeu, il fit comprendre à ses élèves qu'ils devaient se montrer courageux, car la situation était extrêmement inquiétante. Pour l'heure, il n'y avait rien d'officiel, mais les informations qu'ils avaient obtenues du ministère de l'Éducation nationale – joint par téléphone – faisaient état d'affrontements dans le sud de Brazzaville. Paralysé par la peur, il n'arrivait pas à achever sa phrase, et à donner plus de détails. Ses élèves, n'y tenant plus, durent lui arracher les mots de la bouche.

« Les affrontements opposent, poursuivit-il d'un ton hésitant, les forces gouvernementales, à un groupe de…

— Un groupe de quoi Monsieur ? fit Gildas qui s'impatientait.

— Un groupe de Ninjas, répondit le professeur avec célérité, comme s'il eût voulu se débarrasser de quelque chose qui lui pesait sur les lèvres. »

Les élèves étaient épouvantés. Un lourd silence s'abattit alors sur la classe ; tandis qu'au-dehors, la mitraille continuait de retentir.

Le professeur expliqua qu'on leur avait donné l'ordre, de renvoyer séance tenante, tous les élèves du lycée. Il leur demanda donc de ranger toutes leurs affaires, et de sortir à la file indienne, sans se bousculer, évidemment. Et il leur dit que l'heure n'était pas à la distraction et, qu'ils avaient l'interdiction formelle de s'attrouper dans la cour, à cause des multiples balles perdues. Puis, il conclut avec gravité : « C'est la guerre ! »

Pour l'ensemble des élèves, cette nouvelle fut un véritable coup de massue. Alors qu'on se remettait à grand-peine, des désastres occasionnés par le conflit armé du 5 juin 97, et après seulement une année d'accalmie, un autre incident se faisait jour, ce vendredi 18 décembre 1998. Kouka était près de s'effondrer. À mesure que les tirs s'intensifiaient, il réalisait qu'il allait de nouveau connaître les affres de la guerre et, voyait ses rêves, ses espoirs, s'évaporer tels des mirages. Le bac, son voyage pour la France, la poursuite de ses études : tous ses projets étaient une fois de plus, renvoyés aux calendes grecques. Si le professeur avait raison, et les chances qu'il se trompât étaient infimes, il s'agissait alors de la troisième guerre en l'espace de cinq ans, c'est-à-dire depuis 1993. On eût dit qu'une malédiction semblait peser sur le peuple congolais, et que son bonheur était chimérique.

La cour du lycée était en ébullition. Les interrogations fusaient de toutes parts. À la peur qu'inspirait le bruit des armes, semblait s'être mêlée une forme d'excitation. D'aucuns étaient sceptiques, quant au fait que les Ninjas fussent impliqués dans cette nouvelle guerre. D'autres déclarèrent qu'il valait mieux écouter la radio, et attendre que « Le Président a dit », en sa qualité de porte-parole du gouvernement, fît une annonce officielle, pour éclairer la lanterne de ses concitoyens.

Kouka avançait sans prendre part à toutes ces discussions, suivi de près par Gildas, mais également de Cyr, qui venait de les rejoindre ; car il n'était pas dans la même classe que ses deux amis. Çà et là, on voyait des gens en pleurs, on se disait au revoir, sans savoir pour autant si on se reverrait le lendemain. Kouka inspectait minutieusement la foule, car ses pensées étaient tournées vers Babingui. Mais il désespérait, car il y avait dans la cour, des centaines d'élèves en uniforme kaki et bleu. C'était comme vouloir chercher une aiguille dans une botte de foin. Il était clair qu'il ne la retrouverait pas. La frustration commença à s'emparer de lui. Puis tout à coup, il entrevit une lueur d'espoir. À une dizaine de mètres, il aperçut Dominique, une collègue de classe de Babingui. Elle tentait de gagner la sortie du lycée. Machinalement, il se mit à courir après elle. Cyr et Gildas lui emboîtèrent le pas. Il rattrapa la jeune fille au niveau du portail. Et il s'empressa de la questionner au sujet de Babingui. Au dire de Dominique, elle venait à peine de quitter le lycée. Elle devait récupérer sa sœur à l'école primaire, et ensuite rentrer chez elle, dans le quartier de Mpissa.

« Merci beaucoup, Dominique, dit Kouka. Dépêche-toi de partir maintenant, et prends soin de toi.

— À bientôt ! répondit-elle. »

L'information que venait de lui livrer Dominique le rasséréna ; et Kouka finit par se résoudre à quitter le lycée, d'autant plus que ses deux copains n'en finissaient pas de le presser. Mais avant cela, il leur proposa de faire un détour par le marché Total, qui était situé derrière le lycée, afin d'aller à la pêche aux informations. Gildas s'y opposa farouchement, arguant que c'était trop dangereux, car les tirs semblaient se rapprocher. Kouka insista de plus belle, en lui promettant que ça ne leur prendrait pas longtemps. Cyr vint lui prêter main-forte dans la négociation. Et Gildas finit par céder, non sans poser ses conditions : « D'accord, fit-il, mais on ne reste pas plus de cinq minutes. Sinon je pars sans vous. » Ils passèrent par l'avenue de l'Organisation de l'Unité Africaine. De l'autre côté, ils voyaient le camp de la gendarmerie et le lycée français Saint-Exupéry, se vider entièrement de leurs occupants. Tous les véhicules, qui sortaient en trombe de ces deux bâtiments, se ruaient vers le centre-ville, fuyant le quartier de Bacongo. Gildas soupira de nouveau, et dit : « Regardez ! Même les élèves français, et les militaires se sauvent d'ici. Et nous sommes les seuls à vouloir nous attarder. »

Le marché Total, qui était habituellement bruyant, était presque vide. Certaines vendeuses s'étaient enfuies en abandonnant leurs marchandises sur les étals. Néanmoins, il en restait quelques-unes, qui s'employaient à tout ranger, avant de prendre à leur tour la poudre d'escampette. Les trois amis allèrent questionner l'une d'entre elles. Ils eurent ainsi la confirmation que les Ninjas étaient bel et bien de retour. D'après la vendeuse, ils se trouvaient actuellement au niveau du pont du Djoué, autrement dit à moins d'une dizaine de kilomètres. Des chauffeurs de bus revenant de cette zone les avaient aperçus en nombre. Il était même probable qu'ils fussent déjà entrés dans Bacongo. À ce moment-là, Kouka ne put s'empêcher de repenser à Mère Sidonie. Et si ses collègues du petit marché Tâ Nkeoua avaient eu vent de la chose ? Peut-être était-ce la raison pour laquelle, elles n'étaient pas venues travailler.

« Qu'est-ce que ça veut dire alors ? demanda Gildas, d'un air inquiet. C'est vraiment la guerre ?

— Oui, répondit la vendeuse. Maintenant, je dois vous laisser les enfants. Il faut que je me dépêche. J'habite à Makelekele, et il n'y a presque plus de bus. Je n'ai pas envie de rentrer à pied. »

Et elle se sauva sans demander son reste. À la satisfaction de Gildas, Kouka considéra également qu'il était temps rebrousser chemin. Ils repassèrent devant leur lycée, qui était dorénavant désert. Hormis le vent, qui faisait bruisser les feuilles des arbres, aucun son n'était perceptible, et les armes semblaient s'être tues. Ils décidèrent de profiter de l'accalmie pour rentrer chez eux. Et ils se mirent à courir à perdre haleine, sans jamais chercher à s'arrêter en chemin. En dix minutes, tout au plus, ils atteignirent l'avenue Matsoua. Après de franches accolades, Cyr et Gildas, abandonnèrent Kouka devant son domicile. Ils ne le savaient pas encore, mais ce trio – qu'ils formaient depuis leur plus tendre enfance – n'aurait plus jamais l'occasion de se réunir. Kouka les regarda s'en aller durant quelques secondes, avant de se résoudre à rentrer dans la maison, où toute la famille était sur le pied de guerre.

« La situation est grave ! » s'écria Ya Samba, d'une voix qui se voulait alarmiste. Avant de leur fournir de plus amples explications, il voulut prendre moult précautions. Il alla fermer les fenêtres de la maison, et demanda à Kouka d'aller verrouiller le portail au moyen d'un cadenas ; et de les rejoindre ensuite dans le salon. Son fils s'exécuta. Il revint quelques instants plus tard, et s'installa à même le sol avec le reste de la famille. Ses deux jeunes frères étaient paralysés par la peur. Aucun d'eux n'osait parler. Il se rapprocha d'eux pour les rassurer. « Maintenant, écoutez-moi attentivement. », dit son père. Il tenait ses informations d'un ami policier, passé récupérer son enfant, au moment de l'évacuation de l'école dans laquelle il enseignait. Cet ami lui avait confirmé que les Ninjas avaient fait une incursion dans Brazzaville, tôt dans la journée.

« Tu sais combien ils sont ? demanda Kouka.

— Pas du tout, fiston. Mais vu qu'ils ont réussi à faire fuir les forces de défense et de sécurité, j'en conclus qu'ils doivent être très nombreux, et surtout, bien armés. »

Alors que Ya Samba parlait, des coups de feu retentirent de nouveau. Lui et sa famille furent pris de panique. Les affrontements venaient de reprendre, manifestement. Les tirs durèrent une vingtaine de minutes. Sylvie avait sorti sa bible, et déclamait le « Notre Père » avec ses deux plus jeunes enfants. Les deux hommes, quant à eux, demeuraient silencieux. Puis, un autre son vint les perturber. Quelqu'un frappait au portail. Qui cela pouvait-il être ?

En dépit des protestations de son épouse, Ya Samba voulut aller voir de qui il s'agissait. Kouka décida de l'accompagner. Quand ils furent dehors, ils entendirent clairement une voix les appeler. C'était Paul, un habitant du quartier. Ce dernier était porteur d'un message, que les Ninjas, qui venaient de pénétrer dans Bacongo, faisaient passer aux populations. Ils disaient vouloir libérer le pays, de l'emprise des nordistes, et chasser du pouvoir le président de la République. À cet effet, ils ordonnaient à tout le monde de quitter Brazzaville, et d'aller de toute urgence, trouver refuge dans la région du Pool ; déclarants qu'ils seraient sans pitié avec les indociles. « Je pars d'ici trente minutes, avec toute ma famille. Faites-en autant », leur dit Paul, qui s'en alla en courant. Kouka et son père étaient sans voix. Tout allait si vite.

Les tirs avaient de nouveau cessé, et l'avenue Matsoua était déserte. Plus aucune voiture ne circulait. Par l'entrebâillement du portail, Kouka épiait d'un œil inquiet, les moindres mouvements suspects. Plusieurs minutes s'écoulèrent, sans que rien ne se produisît. Tout à coup, il sursauta et appela son père, qui était retourné dans la maison :

« Viens vite ! dit-il, d'une voix à peine intelligible.

— Qu'y a-t-il ?

— Chut. Parle moins fort.

— Mais tu vas me dire ce qu'il se passe enfin ? dit son père avec agacement.

— Ils sont là !

— Mais de qui parles-tu ? »

Ya Samba n'eut pas besoin d'attendre la réponse de son fils. Il se plaça à côté de lui, et aperçut aussitôt un groupe d'hommes en armes, avançant à grandes enjambées sur l'avenue Matsoua. Les Ninjas étaient de retour dans la capitale. Il en arrivait de partout, et on pouvait difficilement les dénombrer. Quelques-uns d'entre eux brandissaient des bannières violettes.

X

Cyr, qui était resté accroupi dans le salon avec son père, voulut profiter de l'accalmie pour sortir de la maison, et savoir de quoi il retournait. Mais maître Nzouzi s'y opposa formellement ; considérant que c'était prendre des risques inutiles. Il valait mieux, selon lui, rester à l'abri et attendre sagement la fin des hostilités. Cyr n'eut pas d'autre choix que d'obéir. Son père parlait d'une voix ferme, mais au fond, il était épouvanté par ce nouveau drame, qui tombait sur eux à bras raccourcis. Il pensait également à son fils aîné, Capi ; qu'il n'avait plus revu depuis plus d'une année, et qui, faisait peut-être partie, de ceux qui mitraillaient actuellement les rues de Brazzaville. Soudain, on frappa à la porte de la maison. Il tressaillit. Cyr quant à lui, garda son calme, et lui fit signe de se taire. Quelqu'un, de l'extérieur, tentait manifestement d'ouvrir la porte de la maison. Pour tous les deux, il ne pouvait s'agir que de Ninjas, voire de pilleurs, qui dans chaque guerre, profitent du désordre ambiant pour mettre à sac les maisons abandonnées. Dans les deux cas, leurs vies étaient certainement en danger. Mais tout à coup, ils entendirent une voix familière, celle de l'apprenti :

« Maître, dit-il, n'ayez pas peur. Ce n'est que moi.

— Victor ? fit maître Nzouzi avec étonnement. Mais qu'est-ce que tu fais ici ? Je pensais t'avoir dit de rentrer chez toi. Tu n'entends pas que ça tire dehors ? Tu as vraiment envie de mourir ?

— Je dois vous parler maître. Ça concerne Capi. »

Surpris, maître Nzouzi fit un signe de la tête à son fils, l'invitant à aller ouvrir la porte. Cyr s'exécuta. Et il faillit ensuite pousser un cri d'effroi ; car Victor se tenait en face de lui, la tête ceinte d'un bandeau violet. Et il avait dans ses mains une Kalachnikov. Il leur pria de ne pas prendre peur, insistant sur le fait qu'il ne leur voulait aucun mal. Et pour leur montrer qu'il était de bonne foi, il posa son arme à terre, après qu'il eut franchi le seuil de la porte. « Je suis ici sur ordre de Capi », poursuivit-il. Maître Nzouzi et son fils, décontenancés, se mirent à l'assaillir de questions. Comment connaissait-il Capi ? Et pourquoi possédait-il une arme ? Était-il lui aussi un rebelle Ninja ? Victor commença ses explications, en apportant une clarification qu'il jugeait primordiale. Il appartenait effectivement à la rébellion, cependant, il n'était pas à proprement parler un Ninja, mais un « Nsiloulou », un soldat de Saint-Michel. Lui et ses frères d'armes, avaient pour objectif, d'en finir avec le régime tribal du président de la République. Cyr et son père étaient davantage abasourdis. Ils se mirent à le considérer étrangement, ne sachant s'ils devaient le croire ou pas. Maître Nzouzi chercha à savoir, si son apprenti n'était pas en état d'ébriété ; mais celui-ci s'empressa de répondre par la négative : il était complètement sobre. Et il ajouta même qu'il lui était expressément interdit de consommer une quelconque boisson alcoolisée. « Nous n'avons plus beaucoup de temps, dit-il, mais je vais essayer de tout vous expliquer. »

Il leur raconta qu'il était originaire de Kindamba, dans le nord-ouest de la région du Pool. C'est là-bas qu'il fit la connaissance de Capi, une année auparavant. Celui-ci était venu s'y réfugier, avec une poignée de miliciens Ninjas, après leur déroute à Brazzaville. Il recruta Victor, dont il s'était pris d'affection. Il lui apprit le maniement des armes et, lui expliqua par la suite, la mission qu'ils avaient à accomplir ensemble, en tant que Nsiloulous.

Depuis lors, Victor vouait à Capi un soutien indéfectible, déclarant qu'il pourrait donner sa vie pour lui, si cela s'avérait nécessaire. Il avoua être venu à Brazzaville, à la demande expresse de son mentor. C'était quelques mois après l'attaque de Goma Tsé-Tsé, à laquelle il avait bien évidemment pris part. Capi voulait qu'il veille discrètement sur sa famille ; car il avait parfaitement conscience que les autorités de la capitale, qui le recherchaient sans relâche, étaient susceptibles de tenter quelque chose contre elle. Mais pour donner le change à la police, et ne pas éveiller leurs soupçons, Victor avait besoin d'une solide couverture. Et le hasard voulut que, maître Nzouzi, surchargé de besogne dans son atelier, recherchât quelqu'un pour le seconder. Victor tenait là l'occasion rêvée. Voilà comment il devint un apprenti soudeur.

Après qu'il eut terminé ce récit palpitant, il leur fit savoir que toute la ville était cernée par des légions de Nsiloulous, décidées à en découdre avec le pouvoir brazzavillois. « Nous serons sans pitié ! » lança-t-il. Il les informa également que, sur ordre de Capi, il comptait les emmener hors de Brazzaville : à Loumo plus exactement, dans le fin fond du Pool.

Cyr et son père tombaient des nues, car les propos de Victor dépassaient l'entendement. De prime abord, ils n'en crurent pas un mot ; mais la Kalachnikov posée à même le sol, ainsi que son nouvel accoutrement achevèrent de les convaincre de la véracité de ses propos. Ainsi donc, ce jeune homme laborieux, poli – à qui on aurait donné le bon Dieu sans confession –, faisait lui aussi partie de la rébellion. Ils se mirent à disséquer toutes les informations, qu'il venait de leur livrer. Mais Victor s'impatienta, et leur dit : « Nous devons partir, maintenant ! Les autres ne vont pas tarder à se servir de la liste. » Cette dernière phrase intrigua Cyr. Il lui demanda aussitôt de s'expliquer. L'autre, gêné par cette requête, baissa la tête durant un court instant, et chercha ses mots. Puis, il reprit la parole et leur révéla une partie du projet macabre des Nsiloulous. Outre le fait de protéger la famille de Capi, il s'était vu confier une autre mission ; celle de constituer une liste, incluant les noms, adresses et professions, de toutes les personnes du quartier, qui collaboraient avec le pouvoir en place, pour les exécuter le moment venu. Le travail était titanesque. Il fallut à Victor, plusieurs mois pour l'accomplir. Il avait ensuite confié la liste à un autre espion : Makila.

Maître Nzouzi, horrifié par ce qu'il venait d'entendre, se mit à vociférer contre les Nsiloulous, et à les traiter de tous les noms. Car c'étaient des centaines de familles, qu'ils avaient l'intention d'exterminer ; à cause de leurs opinions politiques, ou des emplois qu'ils occupaient. « Vous n'avez pas le droit de faire ça ! hurla-t-il. Et puis d'abord où est Capi ? Il va m'entendre celui-là ! » Victor lui fit savoir qu'il n'avait pas le pouvoir d'empêcher le carnage à venir ; même s'il reconnaissait en toute franchise, avoir eu quelques hésitations au départ. En effet, il avait appris, au cours des mois qu'il avait passés dans ce quartier, à aimer ses habitants. Mais son idéologie avait très vite repris le dessus. Il déclara haineusement que, le président de la République, n'était rien d'autre qu'un usurpateur et, la cause de tous les maux qui minaient le pays. Et tous ceux qui collaboraient avec lui ne valaient pas mieux : ils devaient périr. Quant à Capi, l'heure n'était pas venue pour eux de le revoir, car il avait encore une tonne de choses à régler. Puis, se tournant vers Cyr, il ajouta sur un ton austère : « Je ne devais pas te le dire, pour ne pas te faire de la peine, mais le nom du père de ton ami Gildas est mentionné dans cette liste. En tant que membre du parti au pouvoir, il sera même parmi les premiers à être exécuté. »

Le sang de Cyr ne fit qu'un tour. Le cœur serré, il se laissa choir dans un fauteuil et versa quelques larmes. Au bout de quelques secondes, il se redressa, et lança à Victor un regard furibond.

« Vous êtes des ordures et des lâches ! fulmina-t-il, d'une voix enrouée. Tu dois empêcher ça, Victor ! Gildas est comme un frère pour moi. Il n'est pas concerné par vos histoires. Et en plus, il a toujours détesté la politique. Donc vous n'avez pas le droit de vous en prendre à lui, et à ses parents. »

Mais Victor se montra intraitable, et lui répondit la même chose qu'à maître Nzouzi, à savoir qu'il ne pouvait rien faire. Toutes les personnes, mentionnées dans la liste étaient condamnées. « Maintenant, dépêchons-nous d'y aller. Les affrontements vont bientôt reprendre. Ne prenez que le strict nécessaire ! » conclut-il. Mais Cyr refusa avec la dernière énergie. Il était hors de question pour lui qu'il s'en aille, en abandonnant son meilleur ami à son triste sort. Il promit de faire tout ce qui était en son pouvoir, pour lui sauver la vie, quitte à y laisser la sienne.

Il se leva lestement, bouscula Victor, et s'élança à toute vitesse hors de la maison. Maître Nzouzi tenta de le retenir, car il courait un énorme danger. Hélas, son fils avait déjà franchi le seuil du portail, et avait disparu dans la cohue. « Laissez-le partir maître, fit Victor. De toute façon, il ne pourra rien faire. Il va très vite s'en rendre compte. Maintenant, allez rassembler vos affaires ! Nous devons partir. »

XI

Kouka et son père, apeurés et décontenancés, considéraient les cohortes de Ninjas, qui investissaient peu à peu le quartier. Ils furent extrêmement troublés par leur apparence ; car en raison de nombreux mois passés en forêt, ces rebelles avaient l'air complètement métamorphosés. Ils étaient déguenillés et ne portaient pas de chaussures ; chacun d'entre eux arborait une barbe broussailleuse, et de longs cheveux hirsutes garnissaient leurs crânes. De manière assez symbolique, ils portaient tous un bandeau violet sur la tête ; et certains tenaient dans leurs mains des bannières de cette même couleur. Ce dernier détail n'avait pas manqué d'interpeller Kouka. Des gris-gris en tous genres venaient s'ajouter à leurs accoutrements. En voyant arriver les Ninjas, la plupart des habitants de Bacongo s'étaient claquemurés dans leurs maisons. Mais au bout d'un moment, la curiosité finit par prendre le pas sur la peur. Les volets de certaines fenêtres commencèrent à s'ouvrir, et quelques insouciants osèrent même paraître au-dehors. Soudain, une chose assez surprenante se produisit, une clameur s'éleva dans le quartier, et une véritable liesse s'empara des habitants. D'aucuns se mirent à scander frénétiquement : « Les enfants du pays sont de retour ! » ou encore « Nos sauveurs sont là ! » Et tout ce tintamarre, fit sortir Ya Samba de ses gonds :

« Mais ils ont complètement perdu la tête, ma parole ! grogna-t-il. Comment peuvent-ils les ovationner ? Viens fiston, nous devons nous préparer à partir d'ici. Les choses ne vont pas tarder à empirer.

— D'accord Papa. »

Ils décidèrent de n'emporter que les choses essentielles. Kouka alla s'apprêter dans sa chambre, avec ses frères, qui accusaient le coup. Il se saisit de son sac de sport, et y fourra pêle-mêle des vêtements, des chaussures, sa carte d'identité et son passeport ; ainsi que des cahiers, et quelques manuels scolaires. Puis, il retourna dans le salon, où ses parents venaient d'apprêter une valise et un balluchon. Son père semblait satisfait du résultat : « C'est parfait ! fit-il. Nous allons pouvoir y aller. » Subitement, ils entendirent des éclats de voix, qui semblaient provenir de chez les voisins. Intrigués, Ya Samba et Kouka sortirent en courant. Ils allèrent regarder à travers les fissures du mur, qui les séparait de la maison attenante à la leur ; c'était là qu'habitait Miangou. Cinq Ninjas aux visages patibulaires y avaient fait irruption. Pour l'avoir souvent croisé dans le passé, en compagnie de Capi, Kouka n'eut guère de mal à reconnaître l'un d'entre eux, qui au demeurant paraissait être le chef de la bande : Makila. Devant les assaillants se tenaient les parents de Miangou, ainsi que sa sœur, la sulfureuse Prisca. La discussion qui s'était engagée entre eux était houleuse.

« Où est-il ? tonna Makila.

— Je vous ai déjà répondu, dit Prisca en pleurs. Il n'est pas ici.

— Tu mens sale pute ! répliqua le Ninja. Ça fait plusieurs mois que nous surveillons votre maison. Nous savons qu'il est rentré tôt ce matin, et qu'il n'est plus jamais ressorti. D'ailleurs, sa voiture est toujours garée devant la maison. Donc je te le demande pour la dernière fois : où est-il ? »

Prisca était méconnaissable. Elle avait les cheveux ébouriffés, les yeux bouffis de fatigue, et du maquillage coulait sur son visage, à cause des larmes. Malgré la menace de mort qui pesait sur sa famille, elle continuait de se perdre en mensonges ; car son frère était bel et bien là ; caché dans quelque recoin, de leur petite maison de trois chambres. Mais il était hors de question qu'elle le dénonçât ; même si, elle en avait conscience, les Ninjas finiraient par le trouver d'un moment à l'autre. Son père, qui se tenait à proximité, vint à sa rescousse : « Ma fille vous dit la vérité, s'écria-t-il. Miangou n'est pas ici. Et en plus, il ne vous a rien fait ! » Son intervention irrita davantage Makila, qui lui donna un soufflet sur la figure. Il lui rappela que son « cher fils », qui passait pour un homme d'affaires, n'avait pas les mains propres. Comme nombre de miliciens, il s'était livré aux pires atrocités. Il ajouta que ce n'était qu'un félon, qui avait préféré tourner le dos à ceux de son ethnie, les Laris, ainsi qu'à tous les sudistes ; pour aller manger dans la main du président de la République. « Donc je peux te garantir qu'il va payer ! Nous, les Nsiloulous, allons lui faire regretter d'être venu au monde », lança-t-il avec emportement.

Kouka et son père, qui étaient toujours planqués de l'autre côté du mur, se regardèrent avec étonnement, au moment précis où le mot « Nsiloulou » fut prononcé par Makila.

Ce dernier, qui commençait à perdre patience, assena un coup de crosse de fusil, à la mère de Miangou, qui était restée muette depuis le départ. Elle poussa un hurlement strident, et s'effondra violemment sur le sol. Du sang s'échappait de son crâne qui, compte tenu de la violence du choc, avait dû se fracturer. « Vous l'avez tué ! » hurla son époux.

Il voulut s'approcher du corps de sa femme, mais un des rebelles lui donna aussitôt un coup de poing dans le ventre. Le vieil homme tomba à genoux, et se mit à geindre. À bout de souffle, il tenta néanmoins de se relever. À ce moment-là, on entendit la détonation d'une arme à feu. Un des assaillants venait de lui brûler la cervelle avec sa Kalachnikov. Sentant venir le pire, Kouka et Ya Samba avaient eu la présence d'esprit de fermer leurs yeux. Quand ils les ouvrirent, le corps sans vie du père de Miangou, criblé de balles, gisait sur le sol. Prisca était pétrifiée de peur, mais pour ne pas énerver davantage les rebelles, elle pleurait en silence. Makila ordonna à ses hommes d'aller fouiller la maison de fond en comble, et de trouver Miangou. Ils y allèrent en toute hâte. Il se tourna ensuite vers Prisca, et se mit à la menacer de sa voix féroce ; lui faisant comprendre que si sa foi ne le lui interdisait pas, il l'aurait violé sans hésitation aucune : « Je t'aurais donné ce qu'une fille comme toi mérite ! »

Quelques instants plus tard, les quatre autres rebelles ressortirent de la maison, les visages triomphants. Ils avaient enfin réussi, à mettre la main sur Miangou ; lequel était en sous-vêtements, et pleurnichait tel un nourrisson affamé. « Voici le traître, dit l'un des Nsiloulous à voix haute. Il s'était caché sous un lit, ce con ! » Makila et ses autres comparses se mirent à ricaner ; semblables à des hyènes, qui venaient de débusquer un gibier. Ils l'emmenèrent au milieu de la cour, et le contraignirent à s'agenouiller. Miangou avait le visage couvert de sueur. Il commença à s'agiter dans tous les sens, et à faire des supplications, de sa voix larmoyante. En désespoir de cause, il tenta de proposer d'importantes sommes d'argent, à ses anciens frères d'armes.

« On peut s'arranger ! fit-il.

— Ta gueule, répondit Makila, dont les yeux s'injectaient de sang. Ton argent ne nous intéresse pas. Et tu n'auras pas notre pardon. Fallait y penser avant de rejoindre les Cobras, et de travailler pour ce pouvoir nordiste. Maintenant, tu vas payer. Lève-toi et avance ! »

Miangou s'exécuta. Il se mit à marcher d'un pas hésitant, continuant de pleurer à chaudes larmes. Il avait perdu de sa superbe. À moins d'un miracle, il se savait condamné. Il roula des yeux autour de lui, et aperçut les dépouilles de ses parents. À quelques mètres d'eux, recroquevillée contre le mur d'enceinte, se tenait sa sœur Prisca. À peine avait-il posé les yeux sur elle, qu'il fut mitraillé de plein fouet dans le dos. C'en était fini de lui. Il s'effondra sur le sol, et expira presque instantanément. Makila s'approcha du corps sans vie de son ancien compagnon, et le couvrit de crachats. Il invita ses hommes, à en faire autant. « Son compte est réglé, dit-il. Maintenant, occupons-nous des autres traîtres du quartier. La liste est encore longue. On doit tous les buter. »

Et ils partirent en courant. Mais au bout de quelques instants, ils revinrent sur leurs pas. Makila s'approcha alors de Prisca, qui se mit à hurler de terreur. Il pointa sa Kalachnikov sur elle, et pressa la détente. Elle s'écroula sur-le-champ. « Tu pensais vraiment que j'allais te laisser vivre pouffiasse ? » fit le rebelle.

Puis, lui et ses hommes crachèrent également sur le corps de Prisca, avant de s'en aller au pas de charge. De l'autre côté du mur, Kouka pleurait ; car c'était la première fois qu'il assistait à une scène aussi cruelle. La vue de ces quatre cadavres, baignant dans des mares de sang, le révulsa tant et si bien, qu'il s'éloigna en courant, et alla vomir en plein milieu la cour. Il lui fallut quelques minutes pour se reprendre.

« Viens fiston ! dit Ya Samba. Nous devons partir.

— Mais papa ! fit Kouka d'une voix sourde. Les cadavres ? Nous n'allons quand même pas…

— Si, coupa son père. Nous allons les abandonner. De toute manière, nous n'avons pas le choix. Si tu n'as pas compris, ce qui vient de se passer, je vais te l'expliquer. Ces Ninjas ou Nsiloulous, peu importe comment ils se font appeler dorénavant. Eh bien, ils ont prévu d'exécuter du monde dans le quartier. Ils se sont même constitué une liste ; tu l'as entendu comme moi. Donc il faut que nous partions très vite d'ici, si nous ne voulons pas faire partie de leurs prochaines victimes. »

Kouka s'essuya le visage, et suivit son père la mort dans l'âme. Pour ne pas risquer de se la faire confisquer par les rebelles, Ya Samba décida de laisser sa voiture à la maison. Néanmoins, il demanda à son fils de l'aider à retirer les quatre pneus. Ils allèrent les enfouir à divers endroits de la cour, espérant ainsi empêcher le pillage du véhicule. Vers treize heures, Ya Samba donna enfin le signal de départ, et la famille se mit en route. Au-dehors, des milliers de personnes défilaient sous une chaleur moite, portant de lourds bagages et des balluchons, qui sur le dos, qui sur la tête ; et le piétinement de leurs pas sur le sol générait d'importants nuages de poussière. À mesure qu'on avançait, on voyait davantage de Nsiloulous arpenter les rues. On reconnaissait parmi eux quelques visages familiers ; c'étaient en grande partie, d'anciens habitants du quartier, qui étaient portés disparus depuis la fin de la dernière guerre civile. Sans fournir d'explications, ils ordonnèrent à tout le monde de marcher pieds nus. Nul n'osa désobéir à cet ordre.

Comme Kouka et sa famille cheminaient aux abords du marché Tâ Nkeoua, à quelques mètres de leur domicile, ils entendirent soudainement le bruit d'une violente explosion ; qui provoqua un affolement général. On courrait de toutes parts. Des enfants pleuraient, et des mères hurlaient. Dans cette grande confusion, Kouka trébucha, et par chance, sa chute fut amortie par l'énorme sac de sport, qu'il portait sur le dos. Il se releva à grand-peine, et aperçut la silhouette de son père, qui s'éloignait à la hâte. Il se mit à lui courir après, et à hurler son nom. Malheureusement, sa voix, quoique puissante, se confondait avec celles des nombreuses personnes, qui couraient çà et là.

Finalement, il le rattrapa quelques mètres plus loin et lui tapota l'épaule pour lui faire signe de s'arrêter. Lorsqu'il se retourna, Kouka tressauta et poussa un hurlement. Il lui fallut quelques secondes, pour réaliser ce qu'il se passait ; car l'homme qui venait de se retourner n'était pas son père, mais quelqu'un vêtu identiquement. Essoufflé, affolé, il demeura immobile au milieu de cette foule désordonnée, réalisant peu à peu qu'il était dorénavant seul.

XII

Au moyen de la liste que leur avait fournie Victor, les Nsiloulous débutèrent des tueries de masse dans tout Bacongo ; abattant à tour de bras d'anciens miliciens Cobras, de simples fonctionnaires, des militants du parti au pouvoir, des membres des forces de l'ordre et, des personnes ayant des liens familiaux avec des apparatchiks de ce régime qu'ils exécraient. Autant de profils, que Victor avait pris soin de repérer durant plusieurs mois. Les rebelles étaient insensibles aux pleurs et aux supplications de leurs victimes. Leur envie de tuer semblait insatiable. Ils n'étaient plus des hommes, mais de véritables bêtes féroces, car l'animalité avait pris le pas sur leur humanité ; et ceux qu'ils poursuivaient n'étaient plus des êtres humains à leurs yeux, mais des gibiers qu'il fallait abattre coûte que coûte. Et ils continuèrent des heures durant, leur macabre besogne. Ni les femmes ni les enfants n'échappèrent à cette hécatombe. Quelquefois, on voyait passer en courant certaines de leurs cibles, haletantes, les visages couverts de poussière et de sang. Pour échapper à leurs oppresseurs, elles tentaient de se mêler à la multitude qui déferlait dans les rues. Mais très vite, quelques habitants du quartier, mus par d'anciennes rancœurs, se mirent à pratiquer toute honte bue la délation ; permettant ainsi aux Nsiloulous de repérer les fuyards et de les occire en pleine rue.

Puis, ils commencèrent à incendier certaines maisons ; d'épaisses fumées noires et âcres se répandirent alors dans tout le quartier.

Cyr s'élançait à toute vitesse, en direction du domicile de Gildas. Autour de lui, les balles sifflaient, et la foule qui avançait à contresens sur l'avenue Matsoua rendait sa progression ardue. Les gens s'entrechoquaient violemment, s'impatientaient, et se répandaient en insultes. Cyr d'ordinaire amène et courtois usait lui aussi de violence, pour tenter de se frayer un chemin dans ce remue-ménage. Sur le moment, il n'en avait que faire de la politesse ; car la vie de Gildas était en jeu. Il devait le rejoindre de toute urgence. Le désir de sauver son meilleur ami l'éperonnait. Il lui sembla même que ses forces se décuplaient ; il se sentait capable d'abattre un lion à main nue. Soudain, son attention fut attirée par une vieille dame, qui peinait à remplir sa valise, dont le contenu s'était renversé sur le sol. Les gens passaient à côté d'elle, sans lui témoigner des égards ; nonobstant son âge avancé. Cyr eut pitié d'elle. Et il résolut de s'arrêter envers et contre tout, pour lui venir en aide. Il se montra affable avec la pauvre dame, qui était au bord des larmes, et n'en finissait pas de se lamenter. Comme la plupart des gens, elle avait été contrainte d'obéir aux injonctions des Nsiloulous, et de quitter son domicile dans la précipitation. Et sa plus grande appréhension concernait son époux, qui s'était rendu au centre-ville en début de matinée, quelques heures avant l'arrivée des rebelles. Comment allait-elle pouvoir le retrouver dans cette confusion ? se demandait-elle. D'ailleurs, était-il toujours vivant ?

Cyr dans un premier temps, lui suggéra de ne pas y penser, et lui dit qu'elle devait rapidement quitter Bacongo ; car la situation pouvait virer au drame, d'un moment à l'autre. « Si tu as de la famille après le pont du Djoué, dit-il, je te conseille d'aller te réfugier là-bas. Tu verras ensuite, comment les choses évoluent. »

Il termina ensuite de ranger les affaires, puis rendit la valise à la vieille dame. Elle le remercia chaleureusement, le couvrit de bénédictions, et s'en alla en pressant le pas, sa valise habilement posée sur la tête. Lorsqu'il arriva enfin devant le domicile de Gildas, Cyr poussa un cri et tomba à genoux, tant ce qu'il voyait était effroyable. La maison était en feu.

***

Le général Etumba, directeur de la police nationale, et le général Liboma, chef d'état-major général des Forces armées congolaises, venaient de pénétrer dans le bureau dans lequel les attendaient le ministre de l'Intérieur, et celui de la Défense. Les deux membres de l'exécutif, d'ordinaire loquaces et outrecuidants, étaient silencieux. Ils s'étaient avachis sur un canapé, et affichaient des mines déconfites. Le ministre de l'Intérieur fut le premier à prendre la parole ; et son ton se voulut tout de suite alarmiste :

« La situation est grave, messieurs ! Nous revenons de la présidence, et autant vous dire que son Excellence le président de la République est dans tous ses états. Nous devons très vite régler ce problème, sinon, je ne donne pas cher de nos peaux.

— Il nous faut agir vite, ajouta le ministre de la Défense, car il est hors de question que ces saletés de rebelles Laris, ridiculisent les forces gouvernementales. Ce pays est encore commandé que je sache ! »

Il s'interrompit, saisit un verre de whisky posé sur la table en face de lui, but une gorgée ; et demanda au général Liboma, de lui faire un compte-rendu circonstancié de la situation. Car un plan de riposte devait très vite être organisé. Le général, qui était un homme glacial, que presque peu de choses pouvaient déstabiliser, s'approcha des deux membres du gouvernement, et leur expliqua, d'une voix très calme, que l'armée avait été prise au dépourvu par les rebelles Ninjas. D'après les informations qu'il avait reçues, ils contrôlaient pour l'heure, les quartiers de Bacongo et de Makelekele. Et ils ne devaient absolument pas atteindre le centre-ville. Ça rendrait les choses totalement incontrôlables.

« De plus, ajouta cette fois-ci le général Etumba, ils assassinent énormément de gens et contraignent les populations de ces quartiers à quitter Brazzaville, et à se diriger vers le Pool. Ce qui crée actuellement des mouvements de panique.

— Qu'avons-nous comme marge de manœuvre ? demanda le ministre de la Défense. Nous devons revoir son Excellence le président de la République, en fin de journée. Et il vaudrait mieux, que nous lui apportions de très bonnes nouvelles.

— Je suggère, messieurs les ministres, fit le général Liboma, que nous allions bombarder toute la zone. Ça occasionnera beaucoup de dégâts, mais ce sera plus efficace. Ensuite, nous n'aurons plus qu'à déployer des régiments, pour cueillir les survivants.

— C'est parfait, dit le ministre de l'Intérieur. Général Etumba ! Je veux que les forces d'intervention de la police fassent également partie de l'opération. Allez me buter ces chiens, et prenez quelques Angolais avec vous.

— À vos ordres, monsieur le ministre ! répondit le général Etumba.

— Maintenant, laissez-nous, dit le ministre de la Défense. Mon collègue et moi avons à nous entretenir de choses importantes.

— À vos ordres ! répondirent en chœur les deux officiers, qui firent le salut militaire, et se dirigèrent vers la porte de sortie.

— Une dernière chose messieurs, leur dit le ministre de l'Intérieur, dont le visage s'était soudainement assombri. Ne faites aucun prisonnier parmi les Ninjas. »

Les deux généraux ne répondirent pas. Ils se contentèrent d'un hochement de tête, en signe d'assentiment.

Une contre-offensive sanglante eut lieu dans l'après-midi. Sans tenir compte des populations, qui étaient encore présentes sur les lieux, le chef d'état-major général des Forces armées enjoignit à ses troupes de pilonner les quartiers sud de Brazzaville. Ces bombardements, qui durèrent deux heures tout au plus ; provoquèrent un repli tactique, d'une bonne partie des Nsiloulous, vers la région du Pool. De nombreuses maisons furent dévastées et incendiées ; et beaucoup de gens périrent. Puis, lorsque le déluge de feu cessa, la soldatesque congolaise et les troupes angolaises se déployèrent dans la zone, qui s'était en grande partie vidée de ses habitants ; se livrant sans le moindre état d'âme à des pillages, et par-dessus tout, à de nombreux assassinats. Les victimes étaient des hommes pour la plupart. Ils étaient suspectés d'être des rebelles, ou d'intelligence avec eux. Brazzaville sud était devenu un véritable charnier.

Vers la fin de l'après-midi, ordre fut donné aux soldats de cesser toutes ces exactions. Les survivants furent alors invités à rejoindre les quartiers nord de la ville ; en empruntant un couloir humanitaire, qui fut mis en place sur l'avenue de l'Organisation de l'Unité Africaine. De nombreux habitants, hagards et épouvantés, sortirent ainsi de leurs cachettes. Tous avaient refusé de fuir dans le Pool, et s'étaient retrouvés pris en tenaille, lors de l'affrontement mortifère qui avait opposé les rebelles Nsiloulous aux forces gouvernementales. Ils convergèrent lentement sur l'avenue, suivis du regard par les nombreux soldats stationnés le long du trajet.

L'accalmie fut hélas de courte durée, au grand désarroi de tous ces survivants qui, virent ce prétendu couloir humanitaire, se muer progressivement en un couloir de la mort. En effet, plusieurs soldats, congolais et angolais, choisirent sciemment de désobéir aux ordres donnés par la hiérarchie, qui à ce moment-là, se trouvait hors du champ de bataille. Ils se mirent à détrousser sans vergogne les familles, et procédèrent derechef à des exécutions sommaires, d'individus qu'ils sélectionnaient le plus souvent, sur la base de leur corpulence.

Émoustillés, d'autres préférèrent se rabattre sur la gent féminine. Des centaines de jeunes filles et de femmes furent ainsi extraites de vive force des cortèges, et furent violées durant des heures. Certains soldats poussèrent la perversion, en obligeant les familles à regarder leurs proches se faire souiller. Aux environs du marché Total, un père tenta de s'opposer au viol de sa fille à peine pubère ; il fut criblé de balles sur-le-champ. Partout, des gens hurlaient, s'agenouillaient, et imploraient les soldats d'épargner leurs campagnes, leurs sœurs ou leurs enfants ; mais rien n'y faisait. Et chacune de ces suppliciées subissait les assauts d'au moins une dizaine d'hommes, dont l'excitation n'avait d'égal que leur aisance à tuer.

XIII

En entendant le chant du coq et les aboiements d'un chien, Kouka qui s'était réveillé depuis plus d'une heure comprit que le jour commençait à paraître. Il se leva du matelas sur lequel il avait dormi, et alla ouvrir les rideaux de la chambre. Il fut tout de suite ébloui par le soleil, qui dardait ses rayons sur toute la maison. Il retourna s'allonger et se mit à considérer dans son entièreté, la chambre dans laquelle il se trouvait. C'était une pièce exiguë, meublée de manière sobre. Il s'y sentait à l'étroit, mais s'en contentait, car il était conscient que le contexte dans lequel il se trouvait, ne l'autorisait guère à faire le difficile. En effet, la veille, les Nsiloulous avaient pris d'assaut Brazzaville, et cet événement n'était pas sans conséquence. Étonnamment, son sommeil fut paisible, et aucun cauchemar ne vint troubler cette première nuit passée hors de chez lui. Fourbu, courbaturé, et profondément terrifié par les troubles qui secouaient le pays, il n'était clairement pas pressé de quitter cette chambre. Peu à peu, quelques images de cette tragique journée du 18 décembre commencèrent à refluer. Il repensa au premier chef, à la séparation avec sa famille, survenue dans un moment de panique générale, après une violente déflagration aux alentours du petit marché de Bacongo. Sur la route, il croisa des amis et quelques voisins ; et leur posa à chaque fois cette question lancinante :

« Avez-vous vu mes parents ? » Malheureusement, il ne reçut que des réponses négatives, ou alors très évasives. Lassé de toutes ces incertitudes, esseulé, il résolut de ne plus questionner personne. Ruminant sa colère et sa frustration, il marcha dès lors en désespoir de cause, suivant le troupeau d'âmes éperdues, qui avançait lentement, vers les frontières de Brazzaville.

Comme il fallait s'y attendre, les règlements de compte s'invitèrent également dans le conflit. Certains Nsiloulous, originaires de Bacongo, profitèrent du pouvoir que leur conféraient leurs armes, pour solder avec férocité d'anciennes querelles de voisinage. Kouka fut atterré par cette surabondance de violence, et ce mépris pour la vie humaine. À mesure qu'il avançait, il voyait s'amonceler les cadavres dans les rues ; et de temps à autre, il était contraint de humer l'odeur infecte qui en émanait. Tous ceux qui avaient acclamé les Nsiloulous, lors de leur entrée fracassante dans Brazzaville, prirent très vite conscience qu'ils avaient la gâchette facile. Ils commencèrent à les redouter fortement ; marchant la peur au ventre, fuyant leurs regards incandescents, et priant pour ne pas être pris à partie, par l'un d'entre eux.

Vers seize heures, Kouka, excédé de fatigue et affamé, arriva aux abords du pont du Djoué. Cet endroit marquait la limite entre Brazzaville et sa banlieue ; c'était là que la grande rivière Djoué venait se jeter dans le fleuve Congo. En dessous du pont, on voyait s'entrechoquer puissamment les deux cours d'eau. Compte tenu des courants et des nombreuses roches disséminés çà et là, la navigation à cet endroit était une chose impensable, de même que la baignade ; même si certains effrontés s'y risquaient quelquefois. Comme beaucoup de gens à Brazzaville, Kouka prisait ce lieu. Il lui arrivait très souvent d'y traîner ses guêtres par beau temps, en compagnie de ses deux compères,

Cyr et Gildas. Or ce jour-là, le contexte n'était pas celui d'une balade, mais celui d'une fuite. Le grondement des eaux était masqué par le bourdonnement de ces myriades d'individus, qui défilaient sans discontinuer. Quelques Nsiloulous erraient également dans les environs, toujours en quête de cibles à abattre. Kouka fit halte non loin du pont, afin de reprendre haleine. Il se mit à considérer la foule avec attention, espérant reconnaître quelques visages familiers. Ce fut à ce moment-là qu'il croisa Joachim, un voisin du quartier qui, contre toute attente, lui déclara avoir aperçu Ya Samba et le reste de la famille ; cheminant une heure plus tôt, non loin du centre sportif de Makelekele, le premier arrondissement de Brazzaville.

Pour ôter le doute de l'esprit de Kouka, Joachim fit une description circonstanciée de leurs vêtements, ainsi que des bagages qu'ils transportaient. Kouka exulta, car la description était tout à fait exacte. Pour finir, Joachim lui livra une information cruciale : toute la famille faisait route vers Nganga-Lingolo, où habitait tante Esther. Cette nouvelle fut roborative. Et Kouka se remit aussitôt en marche. Il arriva chez sa tante aux alentours de vingt heures, mais il tomba des nues, lorsque celle-ci lui apprit que ses parents et ses deux frères ne s'y trouvaient pas. Effondré, il s'enferma dans un mutisme complet, durant le reste de la soirée. Il songea à tous ces corps inertes, qu'il avait vus sur son chemin et, commença à se demander si ses parents et ses deux frères, n'avaient pas eux aussi fait les frais des dérives des Nsiloulous. Sa tante lui demanda formellement de bannir de sa tête toute pensée négative. Puis elle lui fit une proposition : « Nous sommes loin de Brazzaville, avait-elle dit. Tu ne risques rien pour l'instant. Je préfère que tu restes avec nous, en attendant que les choses se calment. »

Son neveu accepta la proposition sans rechigner. On l'installa dans une chambre et il s'affala sur le matelas. Quand toutes les lumières de la maison furent éteintes, il éclata en sanglots et alla se jeter dans les bras de Morphée. Voilà comment s'était achevée, cette journée du 18 décembre.

Kouka dut couper court à ses ruminations, car quelqu'un frappa à la porte. Toujours souriante, sa tante Esther, jeune sœur de Ya Samba, parut sur le seuil. Cette femme de trente-cinq ans, fine et de petite taille, était vêtue d'un long boubou en pagne. Elle tenait dans ses mains, un panier rempli de linge sale. Tout comme son grand frère, Ya Samba, elle travaillait dans le domaine de l'éducation, plus précisément dans la petite enfance. Elle était affectée dans l'unique école maternelle de Nganga-Lingolo ; où elle habitait depuis une dizaine années, avec son époux Marcel, un menuisier de trente-neuf ans. Bien qu'elle y vît le jour, Esther, qui n'avait pas encore d'enfants, abhorrait Brazzaville ; préférant le calme de la campagne et les paysages verdoyants. Or depuis deux jours, la quiétude de cette petite localité qu'elle chérissait tant était grandement altérée.

« Bonjour neveu ! dit-elle, le visage souriant.

— Bonjour, tantine ! répondit Kouka, qui s'étirait en même temps.

— Tu as bien dormi ?

— Oui, ça va, j'ai bien récupéré. Mais j'ai encore des douleurs aux pieds, et quelques courbatures.

— C'est normal, tu as beaucoup marché, hier. Viens prendre ton petit déjeuner avec nous. Et après, on ira faire un tour à la mission catholique. Le prêtre doit avoir besoin d'aide, pour accueillir les déplacés.

— Bonne idée Tantine ! Et peut-être qu'on rencontrera des gens que nous connaissons.

— Tu as tout compris ! »

Une forte odeur de café flottait dans le salon. Oncle Marcel, qui était toujours matinal du fait de son métier, avait préparé le petit déjeuner. Outre le café, du pain, du beurre, du lait et quelques fruits étaient également disposés sur la table. La télé était allumée, et branchée sur la chaîne nationale ; seulement, l'écran était noir, et affichait cette phrase à laquelle les Congolais étaient habitués :

« *En raison d'un problème technique, le service est momentanément interrompu.* »

Kouka, qui venait d'entrer dans la pièce avec sa tante, vint s'asseoir en face d'oncle Marcel, qui fulminait contre la télévision nationale, et le gouvernement. Selon lui, ils faisaient exprès de maintenir les Congolais dans le brouillard ; car ces prétendus problèmes techniques n'intervenaient « comme par hasard », que lorsqu'il se passait des choses graves dans le pays. Puis, il changea de sujet, et demanda à Kouka de se servir. « Allez, mange un bout ! Tu ne peux pas savoir comment j'ai souffert, pour pouvoir me procurer tout ça. Presque tous les commerçants du village sont en rupture de stock. Et je ne te parle même pas du marché, qui a été totalement dévalisé. Si ça continue, il n'y aura bientôt plus rien à manger, dans tout Nganga-Lingolo. »

Pendant que Kouka reprenait des forces, tante Esther et son époux continuaient de débattre de la situation dans le village. À les entendre, celle-ci était chaotique, du fait notamment de l'afflux de déplacés. Oncle Marcel eut la présence d'esprit d'allumer la radio, pour voir si le gouvernement s'était décidé à sortir de son silence, et à livrer quelques informations au peuple.

Une chanson de Rumba venait de s'achever, sur Radio Liberté. Un journaliste annonça ensuite avec obséquiosité, que le ministre de la Communication, porte-parole du gouvernement, Augustin Lokuta ; celui qu'on surnommait « Le Président a dit » allait prendre la parole d'un moment à l'autre. Oncle Marcel se frotta les mains, et un large sourire s'afficha sur son visage. Mais sa joie fut de courte durée, car quelques secondes après cette annonce, tous les appareils de la maison s'éteignirent. Un délestage venait de frapper Nganga-Lingolo. Il déversa aussitôt sa bile : « On est vraiment dans un pays de merde ! » lâcha-t-il.

Il déclara ensuite, qu'il était inadmissible qu'en plein vingtième siècle, l'électricité fût encore considérée comme un luxe, au Congo. Pour être à l'aise, il fallait impérativement se doter d'un groupe électrogène, qui par ailleurs, n'était pas accessible à toutes les bourses ; car plus de la moitié de la population vivait, malheureusement, en dessous du seuil de pauvreté. Il pointa du doigt l'incompétence, et la malhonnêteté des hommes politiques ; lesquels affirmaient à tire-larigot, vouloir faire du Congo « un pays émergent », à l'issue des dix prochaines années. Oncle Marcel proposa ensuite à Kouka, de l'accompagner faire un tour, afin de prendre le pouls de la localité.

« N'allez pas trop loin, dit tante Esther. Et n'oublie pas Kouka, je veux que tu m'accompagnes à la mission catholique, tout à l'heure.

— On ne sera pas long, fit oncle Marcel.

— D'accord, mais faites attention. Il y a un monde fou dehors, et aussi beaucoup de Ninjas, euh… je voulais dire des Nsiloulous. »

Kouka, intrigué, demanda à sa tante et à son époux, d'où venait cette nouvelle appellation, qu'il entendait depuis la veille.

Aucun d'eux ne put lui apporter de réponses concrètes. Ils y virent néanmoins un lien, avec leurs nouvelles croyances.

« Et gare à tous ceux qui osent les appeler Ninjas, dit tante Esther, qui agitait son index en guise de menace. Ils répètent à tout le monde qu'ils n'ont plus rien à voir, avec l'ancien Premier ministre. Ils disent qu'ils sont au service de l'archange Saint-Michel.

— Pourtant, fit Kouka, c'est bien lui, le fondateur de leur milice. Ils lui étaient même fidèles, jusqu'à l'année dernière. Qu'est-ce qu'il s'est passé entre temps ? Pourquoi ils ne veulent plus être associés à lui ?

— Je ne sais pas, neveu. Et je te rassure, moi non plus je n'y comprends pas grand-chose à leurs histoires. C'est assez compliqué tout ça. Mais nous en parlerons plus tard. Partez maintenant, et ne vous attardez pas trop. »

XIV

Kouka et oncle Marcel allèrent tout d'abord du côté de la route nationale. Ils furent médusés, par le spectacle qui se déroulait sous leurs yeux. Le cortège de déplacés s'étalait à perte de vue. Ils voyaient des centaines de milliers de personnes, éperdues et harassées, avancer à pas longs, les pieds nus ; s'engouffrant toujours plus, dans les profondeurs du Pool. On eût dit que toute la ville de Brazzaville s'était vidée de ses habitants. Le plus affligeant était de voir des femmes enceintes, des personnes âgées, et des enfants non accompagnés ; marchant péniblement, tels des forçats, et ployant sous le faix de leurs bagages. Oncle Marcel murmura avec commisération : « Pauvres enfants ! Ils avancent sans savoir où aller. Et certains ne reverront jamais leurs parents. »

Cette dernière phrase eut sur Kouka l'effet d'un électrochoc. Une forte angoisse s'empara de lui. Il repensa tout à coup à ses propres parents, ainsi qu'à ses deux frères ; leurs visages rejaillirent dans son esprit. Il ne les avait pas revus depuis la veille, mais cela lui semblait être une éternité. Trois autres visages apparurent : ceux de Cyr, Gildas et Babingui. Étaient-ils morts ? Si oui, avaient-ils souffert ? Des pensées morbides commencèrent à s'insinuer dans sa tête, mais il s'en débarrassa rapidement, se rappelant les paroles encourageantes de sa tante.

Il tourna de nouveau son regard vers la foule, qui continuait d'affluer. Subitement, on entendit le bruit d'un moteur. Les gens commencèrent à s'égayer avec promptitude, et on vit paraître au milieu de la route, un pick-up noir. Une dizaine de Nsiloulous étaient à son bord. Le véhicule qui semblait revenir de Brazzaville avançait à grand-peine. Puis, il alla se perdre au loin, comme s'il eût été englouti par l'immense marée humaine, qui traversait Nganga-Lingolo.

On vit ensuite passer à pied d'autres rebelles, ils étaient dix tout au plus ; fendant la foule, et dardant sur les déplacés, des regards remplis de haine. Deux d'entre eux, admonestèrent un vieil homme, qui avait commis, ce qui était considéré depuis les dernières vingt-quatre heures comme un sacrilège, à savoir, porter des chaussures. Ils l'enjoignirent de se remettre pieds nus, sans délai. Le vieil homme, apeuré, s'exécuta sans se faire prier, et se confondit aussitôt en excuses. Les rebelles s'en allèrent, en lui promettant de lui loger une balle dans la tête, s'il commettait de nouveau cet impair. Scandalisé par cette scène, Kouka interrogea son oncle :

« Pourquoi ils nous forcent à enlever nos chaussures ?

— C'est encore une de leurs croyances, fiston. Depuis qu'ils sont sortis de la forêt, ils pensent que marcher pieds nus, augmente leur puissance spirituelle. Mais si tu veux mon avis, ce sont des conneries. Viens, allons du côté de l'école !

— Je te suis. »

Oncle Marcel eut du mal à reconnaître l'école primaire du village ; laquelle était investie par des myriades de déplacés. Les salles de classe, vidées de leur contenu, s'étaient muées en dortoirs de fortune. Les uns y avaient passé la nuit, les autres, faute de places, avaient été contraints de dormir à la belle étoile. Kouka partageait l'ébahissement de son oncle. Les deux hommes marchaient lentement, passant en revue tous les visages qu'ils croisaient, espérant secrètement en reconnaître quelques-uns. Hélas, leur recherche fut vaine, car en lieu et place de proches, ils n'avaient autour d'eux que de parfaits inconnus. De toutes parts, on voyait des enfants à la fleur de l'âge, inconscients du drame qui les avaient touchés, s'adonner à des jeux. Les femmes, quant à elles, s'affairaient autour du feu, qu'elles alimentaient avec du bois, mais pas n'importe lequel ; elles avaient fait main basse sur les tables de l'école et, les avaient dépecées méticuleusement. Les hommes, comme de coutume, jouaient aux éditorialistes politiques, et tentaient de disséquer les récents événements. Au milieu de la cour de l'école trônaient quatre grands manguiers. Ils avaient été pris d'assaut par une meute d'affamés. Ces derniers s'étaient répartis en deux équipes ; une qui restait au sol et s'occupait de la collecte ; et une autre, qui avait la lourde tâche de grimper aux arbres, pour aller cueillir les fruits tant désirés. Mais au moment du partage, certains, peu satisfaits des parts qu'ils avaient reçues, en vinrent aux mains. Cette scène avilissante plongea Kouka et son oncle dans l'affliction. Aux bords des larmes, ils préférèrent s'en aller.

Kouka passa ensuite la matinée à somnoler sur son matelas. De son côté, oncle Marcel, qui avait pu acheter des piles, demeura dans son salon, l'oreille collée à la radio nationale ; qui malheureusement, tardait à diffuser des nouvelles, concernant la situation dans la capitale congolaise. Il préféra se rabattre sur RFI, qui faisait état d'affrontements, entre les forces gouvernementales et les rebelles Ninjas. Mais il restait sur sa faim, vu que la radio française ne livrait pour l'heure que des informations incomplètes. En outre, le délestage s'éternisait, par conséquent, il lui était impossible de suivre le journal télévisé. L'attente devenait insoutenable. Après avoir déjeuné, Kouka accompagna comme convenu, sa tante Esther à la mission catholique, où l'ambiance ne fut guère différente de celle de l'école. Durant une bonne partie de l'après-midi, ils vinrent en aide au curé de la paroisse, qui était littéralement débordé par les événements. Ils rebroussèrent chemin vers dix-sept heures. Le reste de la journée se déroula dans le calme. Ce n'est que tard dans la nuit, un peu après minuit, que les choses prirent une tournure plus dramatique. Une série de coups de feu, fit se lever brusquement Kouka. L'esprit embrumé, il mit quelques secondes à réaliser ce qui se passait. Sur ces entrefaites, tante Esther, hors d'haleine et totalement terrifiée, pénétra dans la chambre et se mit à hurler :

« Kouka ! Ça tire de partout. Tu es trop exposé dans la chambre. Lève-toi, et viens tout de suite avec moi.

— D'accord ! »

Sans trop réfléchir, le jeune homme se leva prestement, et suivit sa tante dans le salon, où oncle Marcel les attendait ; accroupi sous la table à manger, qu'il avait soigneusement éloignée du centre de la pièce. Ils demeurèrent à cet endroit, durant plus de deux heures, redoutant à chaque instant d'être fauchés par la mitraille. Ils ne pouvaient déterminer avec exactitude, l'origine des coups de feu ; mais à en juger par leur puissance sonore, les combats avaient lieu non loin de Nganga-Lingolo. Ils en eurent la confirmation, lorsqu'un grondement, semblable à celui du tonnerre se fit entendre, faisant vibrer les murs de la maison. S'ensuivirent des pleurs et des cris dans le voisinage. Un obus venait apparemment de s'écraser dans le quartier. Tante Esther se signa, et fondit en larmes. Pour se redonner du cœur au ventre, elle se mit à égrener son chapelet, et à fredonner des louanges chrétiennes, implorant le divin de lui venir en aide. Son époux préféra garder le silence. Mais Kouka n'eut guère de doute, sur le fait qu'il fût également en train de converser avec Dieu ; car il était, tout comme son épouse, un fervent chrétien. Vers deux heures et demie du matin, les armes se turent enfin, et le calme s'installa de nouveau. « Je crois que c'est fini », dit oncle Marcel, le visage couvert de sueur. Il aida sa femme, qui reprenait peu à peu ses esprits, à se relever. Elle le harcela par la suite de questions, mais il ne sut que lui répondre. Il affirma cependant que, les affrontements pouvaient reprendre d'un moment à l'autre et, que leur sécurité n'était plus du tout garantie.

« Nous devons vite quitter Nganga-Lingolo, fit-il d'un air dépité, sinon nous allons tous mourir.

— Mais où veux-tu qu'on aille ? demanda son épouse. »

Oncle Marcel explora plusieurs options, dont celle de se rendre à Louingui, chez sa belle-famille. Mais il se ravisa aussitôt, en réalisant que cela leur prendrait au bas mot, une semaine de marche pour y arriver ; si bien sûr, ils n'étaient pas morts en chemin. Son choix se porta alors sur Mbandza-Ndounga. C'était là que son père avait élu domicile, plusieurs années auparavant.

« Là-bas, nous aurons un toit, déclara-t-il, et surtout de quoi manger. Et en plus, c'est loin de Brazzaville, donc je pense que nous y serons en sécurité.

— Tu as raison ! approuva tante Esther. C'est la meilleure solution. Je vais rassembler nos affaires, et préparer quelques provisions pour la route.

— Parfait ! Je vais également m'apprêter. Ensuite, il faudra dormir un peu, pour reprendre des forces. Nous devons être partis au lever du jour. »

Tante Esther opina du chef. Puis elle se tourna vers Kouka, qui les écoutait attentivement ; et lui fit comprendre, qu'il n'avait pas d'autre choix, que de partir avec eux.

XV

Ils quittèrent Nganga-Lingolo, le dimanche 20 décembre au matin ; et ils allèrent se mêler aux caravanes des déplacés, qui cheminaient sur la grand-route. Trente-trois kilomètres à peu près les séparaient de leur destination finale, c'est-à-dire Mbandza-Ndounga. Sur le trajet, ils tentèrent d'obtenir des informations, sur les événements survenus en soirée. Ils apprirent ainsi que les forces gouvernementales s'étaient aventurées au-delà du pont du Djoué, pour en découdre avec les Nsiloulous qui à leur grande surprise avaient opposé une farouche résistance. Toutes ces informations ne firent que les conforter dans leur décision de partir de cette zone, qui se muait en un champ de bataille.

Leur marche qui fut âpre, les mena en premier lieu dans la bourgade de Linzolo, où ils firent étape pour la nuit. Un ami d'oncle Marcel les accueillit avec gentillesse dans sa demeure. Ils se remirent en route le lendemain matin, après avoir avalé un petit déjeuner frugal. Oncle Marcel ouvrait la marche, suivi de son épouse qui, en sus de l'énorme sac suspendu à son dos, portait habilement un bidon de cinq litres d'eau sur sa tête ; Kouka fermait la marche.

De temps à autre, tout le monde s'écartait de la route, pour laisser passer les véhicules des Nsiloulous, qui au gré de leur humeur continuaient d'exécuter froidement, de pauvres innocents. Ils se livraient également à une pratique assez malsaine, héritée des précédentes guerres civiles. En effet, pour vérifier qu'ils avaient bien affaire à des sudistes, ils arrêtaient des individus au hasard et, leur demandaient de s'exprimer en Lari, la langue la plus parlée dans le Pool. Ils leur posaient des questions bien spécifiques, auxquelles seul quelqu'un dont c'était la langue maternelle pouvait apporter des réponses claires. Toutes les personnes qui échouaient, ou qui bafouillaient, étaient considérées comme des infiltrés nordistes ; et elles étaient – sauf témoignage d'un proche visant à attester de leur identité –, immédiatement passées par les armes. Ceux qui par miracle, réussissaient à s'en sortir vivants, avec cependant de graves blessures, étaient abandonnés à leur triste sort sur la route. Car peu de personnes, dans ce contexte macabre, ne souhaitaient leur venir en aide. En seulement quarante-huit heures, les rebelles avaient réussi, à installer un véritable règne de la terreur.

À rebours de la veille, où la température fut agréable, ce jour-là le soleil se montra impitoyable, ce qui rendit le voyage ardu. On s'épongeait continuellement le front et, compte tenu du fait que personne n'avait le droit de mettre des chaussures ; on avait l'impression de marcher sur des braises. Afin d'éviter les insolations, contrer la fatigue et calmer les brûlures aux pieds, oncle Marcel imposa aux deux autres, des pauses régulières d'au moins un quart d'heure. Ils profitaient alors de ces instants, pour se réfugier à l'ombre des arbres qui pullulaient dans la région. Des arbres qui pour la plupart étaient séculaires, et démesurément grands, en comparaison de ceux qu'on voyait à Brazzaville. Kouka, qui n'avait jamais mis les pieds dans cette partie du Pool, considérait le paysage avec une certaine curiosité, voire de l'émerveillement.

On apercevait au loin des collines, au milieu desquelles, étaient disséminés quantités de bourgades. La végétation était verdoyante et luxuriante. Le retour de la saison des pluies semblait avoir revigoré les terres de cette région. Des terres qui, à l'instar des populations locales, voyaient leur sérénité troublée par le cheminement de ces innombrables pieds nus. Il y avait énormément de villages-rues, scindés en deux parties par la grand-route. Le sol était tantôt sablonneux, tantôt argileux ; et dans certains endroits, c'était un mélange des deux. Quant aux habitations, c'étaient le plus souvent des cases, construites à base de torchis et de chaume, et regroupées par concessions familiales.

Oncle Marcel, qui connaissait la région sur le bout des doigts, jouait les guides touristiques ; et Kouka prenait bonne note. Il appréciait la beauté de ces différents lieux, savourait les senteurs, et découvrait non sans étonnement, l'affabilité des gens du pays. On voyait dans certains villages, des femmes et des enfants s'attrouper aux bords des routes, et offrir aux déplacés qui des fruits, qui des sachets remplis d'eau fraîche. Ce formidable élan de solidarité mit du baume au cœur à Kouka. Il put ainsi se procurer des mangues, et des ananas, qu'il savoura avec son oncle et sa tante, durant l'une de leurs multiples pauses.

Vers la fin de l'après-midi, ils entamèrent une longue montée qui déboucha sur Moutampa, village perché sur une colline, distant d'environ une dizaine de kilomètres de Mbandza-Ndounga. Étant donné que le soleil commençait à décliner, et que la route était de moins en moins éclairée ; il devenait inimaginable de poursuivre le voyage dans de telles conditions. Ils décidèrent donc d'y faire étape et, comme l'obligeait la coutume, ils allèrent trouver le chef du village, pour lui demander l'hospitalité. Ce dernier, très au fait de la situation qui prévalait dans le pays depuis quelques jours, les accueillit à bras ouverts. Il les mena à sa suite, dans un campement de fortune, installé à l'orée de la forêt. Une centaine de personnes, arrivées quelques heures plus tôt, avaient déjà pris possession des lieux, et avaient installé leurs affaires à même le sol.

Les trois voyageurs réussirent après une dizaine de minutes de recherche, à trouver un coin pour étaler deux nattes. Ils s'y allongèrent aussitôt, et reposèrent leurs pieds endoloris par la longue journée de marche. La forêt qui bordait le site était pourvue d'arbres gigantesques, autour desquels on voyait tournoyer des colonies d'oiseaux. On distinguait également des cohortes de singes, qui n'avaient de cesse de crier et de s'agiter sur les branches. D'autres bruits, plus mystérieux, venaient s'ajouter à ce tohu-bohu. Tous ces animaux étaient selon toute vraisemblance, effarouchés par ces nuées d'êtres humains, qui se massaient non loin de leur habitat naturel.

« Dépêchons-nous d'aller chercher du bois et de l'eau, dit oncle Marcel. Il commence à faire nuit.

— Ce sera sans moi, dit tante Esther en riant, je ne sens plus mes jambes. Et je ne sais même pas, si je pourrais reprendre la route demain matin.

— Ne t'en fais pas tantine, fit Kouka, tu n'auras pas besoin de bouger. Je vais y aller avec tonton. Nous n'en aurons pas pour longtemps. »

Les deux hommes revinrent au bout d'une quarantaine de minutes, en possession d'un fagot de bois, et du bidon de cinq litres qu'ils avaient empli d'eau fraîche. Après s'être restaurés, oncle Marcel et son épouse, que la longue marche avait mis sur le flanc, s'endormirent sur leur natte. Kouka, qui n'arrivait pas à fermer l'œil, préféra aller faire le tour du campement, pour se changer les idées. La nuit était noire, et hormis quelques foyers encore allumés, la plupart des gens s'étaient endormis. Il rejoignit une dizaine d'hommes qui faisaient cercle autour d'un grand feu, et devisaient en toute convivialité. Comme il prenait place, il eut la grande surprise de tomber sur Jean-Placide, qu'on surnommait JP, un ami de son père, qui habitait également l'avenue Matsoua.

Après de longues effusions, ils s'assirent côte à côte, et commencèrent à s'échanger des nouvelles.

— Tu ne sais donc pas où sont tes parents ? demanda JP, après avoir longuement écouté le récit de Kouka.

— Non, et les quelques personnes que j'ai pu croiser, n'ont pas pu me renseigner. J'ai donc décidé de rester avec ma tante, pour l'instant.

— Tu as bien raison ! Vu le climat actuel, il vaut mieux rester avec des proches. Et vous comptez aller où ?

— À Mbandza-Ndounga.

— Vous être presque arrivés dans ce cas, c'est à moins de deux heures de marche d'ici.

— Oui, c'est ce que m'a dit mon oncle. Et toi ? Où comptes-tu aller ?

— Moi fiston, j'ai encore de la route. Je vais à Kimpandzou. C'est le village natal de ma mère. Une bonne partie de ma famille s'y trouve.

— C'est génial ! Mais dis-moi, quand as-tu quitté Bacongo ?

— Samedi matin !

— Le lendemain de l'entrée des Nin... des Nsiloulous ? demanda Kouka, qui ouvrait grand les yeux.

— Exactement !

JP lui raconta qu'au moment de l'assaut des rebelles, il se trouvait dans le quartier de Kinsoundi, dans le premier arrondissement de Brazzaville. Comme la plupart des gens dans les rues, son premier réflexe avait été de rejoindre son domicile. Or, les transports en commun avaient tous cessé leurs activités. Il avait donc dû marcher jusqu'à Bacongo, tandis que les combats faisaient rage. Tout le long du chemin, il voyait les maisons se vider à une vitesse ahurissante. C'est aux abords du marché Total qu'il aperçut pour la première fois les Nsiloulous et, comme tout le monde, il fut frappé par leur apparence. Il arriva à son domicile au mitan de la journée. Les coups de feu avaient cessé, et dans le quartier, les quelques retardataires se hâtaient de rassembler leurs affaires pour fuir à leur tour. À son grand désarroi, il trouva sa maison vide. Sa femme et sa fille, sans doute pressées par les rebelles, avaient déjà plié bagage. Un voisin sur le départ lui confirma qu'elles avaient pris le chemin du Pool, mais il était incapable de lui dire quelle était leur destination finale. JP décida alors de partir sur-le-champ, espérant pouvoir les rattraper sur le trajet. C'est à ce moment-là que le drame survint.

« De quoi tu parles ? fit Kouka avec étonnement.

— Des bombardements ! répondit JP, qui paraissait surpris par la question du jeune homme. Tu n'es pas au courant ? demanda-t-il.

— Peux-tu nous expliquer, mon frère ? demanda quelqu'un assis non loin. »

JP se rendit compte, que tous ces gens autour de lui, ignoraient ce que les forces gouvernementales, avaient accompli comme sinistre besogne, durant cette triste journée. Il résolut de tout leur expliquer. Tout le monde se tut, pour ne rien manquer de ce qu'il était sur le point de révéler. Il parla donc des bombardements intensifs, menés sur l'ensemble des quartiers sud ; lesquels étaient méconnaissables, tant les ravages étaient importants. Rattrapé par les émotions, il réprima un sanglot. Puis, il aborda à la seconde phase de son récit ; celle qui concernait les assassinats arbitraires. Il leur décrivit la férocité avec laquelle, les soldats forcenés s'en étaient pris aux populations ; tirant systématiquement sur tous les hommes qu'ils rencontraient. Ce fut un véritable carnage. De sa chambre, où il s'était réfugié, il percevait clairement les tirs, ainsi que les hurlements des victimes. Et il craignait à chaque seconde qu'on vienne le débusquer, pour lui faire subir le même sort. Cette fois-ci, il ne put contenir ses larmes. Il s'arrêta de parler, et s'essuya le visage. Toutes les personnes assises autour de lui, également émues, n'osèrent le questionner davantage. Après avoir retrouvé la force de parler, JP raconta que, paralysé par la peur, il n'avait plus osé mettre le nez dehors. Ce n'est que le samedi matin qu'il prit son courage à deux mains, et décida de fuir vers le Pool ; ainsi que le faisaient tous ceux qui avaient survécu au massacre de la veille. Il annonça ensuite à Kouka, une autre mauvaise nouvelle ; celle de l'assassinat de Diallo, le commerçant malien. Il avait été exécuté par des Nsiloulous, un peu avant le bombardement de Bacongo, le vendredi après-midi. On le suspectait d'être un informateur de la police. Kouka reçut le choc en pleine poitrine, et laissa exploser sa colère. JP tenta de le calmer : « Ainsi va la vie, fils ! lui dit-il. Et on n'y peut rien, malheureusement. »

Mais Kouka était inconsolable. Il songea de nouveau à ses proches, qui n'avaient toujours pas donné de signe de vie. Sa tête était farcie d'images horrifiantes. Il réalisait à son corps défendant que, l'insécurité était partout et, que la mort se tenait en embuscade, tant du côté de la soldatesque congolaise, que de celui des rebelles. Puis, on voulut parler d'autre chose ; certains essayèrent même de raconter des histoires drôles, mais la tâche était malaisée, car le contexte ne s'y prêtait guère. Vers vingt-trois heures, tout le monde décida d'aller se coucher. Au moment de se séparer, Kouka, qui s'était remis de ses émotions dit à JP :

« Je suis sûr que tu retrouveras ta femme et ta fille !

— Je l'espère aussi, répondit-il en soupirant. Ma femme est originaire de la région Kouilou. Elle n'a pas de famille dans le Pool. Donc elle n'a pas d'autre choix, que d'aller à Kimpandzou. Et je ne m'en fais pas pour toi également. Je sais que tu retrouveras très bientôt ta famille. Il faut juste rester patient. »

Kouka acquiesça, puis il ajouta :

« À quelle heure comptes-tu t'en aller demain ?

— Vers huit heures. Mais tu peux être sûr que je passerai te dire au revoir, avant que je ne m'en aille.

— C'est parfait. À demain. »

***

Le lendemain matin, ce fut la main robuste d'oncle Marcel, qui réveilla brusquement Kouka. D'une voix chevrotante, il lui dit : « Vite, lève-toi. Et surtout, ne fais pas de bruit. » Les yeux ensommeillés, Kouka s'exécuta péniblement. Il jeta un œil à sa montre. Il était six heures du matin. La forêt exhalait un air frais. On sentait le doux parfum de certaines plantes aromatiques et, les rayons du soleil, commençaient à percer le feuillage des arbres. Les oiseaux avaient entonné leurs chants matinaux. Tante Esther était également debout. À dire vrai, tout le monde dans le bivouac s'était réveillé, et semblait être sur le qui-vive. Une certaine psychose avait gagné les lieux. Partout, on entendait des murmures et des exclamations. Kouka semblait être le seul, à ne pas saisir de quoi il était question. Il interrogea alors oncle Marcel ; lequel lui répondit d'un air inquiet, que des Nsiloulous venaient de pénétrer dans le campement.

« Mais qu'est-ce qu'ils nous veulent ? fit Kouka.

— Moins fort, dit tante Esther d'une voix apeurée, ils vont t'entendre. »

Et elle lui indiqua avec son doigt, la direction dans laquelle il fallait regarder. À environ une vingtaine de mètres de là, on apercevait un groupe d'hommes en armes, en train de fureter dans le campement. Ils scrutaient tous les visages, et avaient l'air de rechercher quelqu'un de précis. Soudain, l'un d'eux fit un signe à ses compagnons. Kouka et oncle Marcel s'avancèrent de quelques mètres. Et ils surent très rapidement, de quoi il retournait. Les Nsiloulous venaient de se saisir de JP. Kouka frémit, et poussa un cri d'effroi. Ce qui lui valut de se faire tancer par oncle Marcel : « Qu'est-ce qui te prend ? Tu veux nous faire tuer ? » Kouka lui fit comprendre, d'une voix morne, que JP était un ami de son père. Oncle Marcel n'en revenait pas. Il garda le silence pendant quelques instants, puis déclara : « Je ne sais pas ce qu'il a fait, mais je préfère être honnête avec toi, les choses ne s'annoncent pas bien pour lui. »

Effondré, Kouka tomba à genoux. Oncle Marcel, quant à lui, se mit à questionner un jeune homme qui se tenait sur sa droite, et avait manifestement assisté à l'arrivée des rebelles dans le campement. Il laissa entendre qu'on suspectait JP d'être un infiltré, envoyé par le gouvernement pour faire de l'espionnage. Kouka, qui écoutait attentivement, se récria.

« Ce sont des bêtises, dit-il avec des larmes dans la voix. C'est un homme sans histoires. Et il ne travaille pas avec le pouvoir en place.

— Je veux bien te croire l'ami, répliqua le jeune homme, mais il a été dénoncé par des gens du campement. Ils disent que la manière dont il a quitté Brazzaville est suspecte. Il a raconté avoir assisté à un massacre, provoqué par l'armée. Et il est, comme par hasard, le seul à s'en être tiré. »

Pour Kouka, il n'y avait pas l'ombre d'un doute ; ce mensonge éhonté émanait forcément de l'une des personnes présentes autour du feu, la veille au soir. Il fut pris de dégoût, pour le responsable de cette délation, cet anonyme qui avait mis le feu aux poudres. Ce n'était ni plus ni moins que de la méchanceté, et JP allait en faire les frais. Les Nsiloulous le conduisirent au bord de la grand-route, où cinq véhicules, dont un 4x4 noir aux vitres teintées, étaient stationnés en file indienne. Kouka et oncle Marcel, qui étaient trop loin, ne distinguaient que des éclats de voix. Mais, à en juger par leurs grands gestes, les rebelles semblaient ne pas s'accorder, sur le sort à réserver au pauvre JP ; lequel n'avait de cesse de s'agiter dans tous les sens, implorant ses oppresseurs de le relâcher. Il y eut ensuite un silence, puis on ordonna à JP de se mettre à genoux. L'un des Nsiloulous se rapprocha alors de la fenêtre du 4x4. Une des vitres arrière se baissa légèrement, laissant apparaître le visage d'un homme au crâne chauve, à la barbe fournie ; portant des lunettes de soleil et, bien sûr, un gros bandeau violet sur la tête.

Il susurra quelque chose, au Nsiloulou qui se tenait devant la fenêtre du véhicule. Celui-ci lui répondit par un salut militaire. Cet homme mystérieux était apparemment le chef. La foule, impuissante, continuait d'observer de loin, cette scène qui ne présageait rien de bon. Tout à coup, la porte du 4x4 s'ouvrit, et l'homme aux lunettes noires parut. La trentaine d'années, tout au plus, il était de haute taille, un mètre quatre-vingt-dix à vue d'œil, et avait une impressionnante musculature. Il portait des rangers marron, un pantalon treillis, et un tee-shirt blanc, par-dessus lequel était posé un gilet pare-balles noir. Il s'approcha du reste de ses subalternes, qui se mirent au garde-à-vous. Puis il se tourna vers JP, lequel continuait de geindre et de verser des larmes.

Une courte discussion s'engagea alors entre les deux hommes, mais la foule n'arrivait pas à entendre ce qu'ils pouvaient se dire. Toutefois, à en croire la manière dont il se comportait, on eût presque dit que JP connaissait le mystérieux individu qui se tenait debout devant lui. Kouka eut également comme un pressentiment. Quelque chose chez cet inconnu, lui était vaguement familier. Mais la barbe broussailleuse, le bandeau violet qui couvrait l'entièreté du front, et les lunettes de soleil ne l'aidaient pas à y voir plus clair.

Soudain, il faillit tomber à la renverse. Car il venait enfin de comprendre, à qui il avait affaire. Il se frappa le front, et fut pris de remords, de n'avoir pas réalisé à temps. Comment avait-il pu être aussi distrait ? Car c'était bien Destin Nzouzi, alias Capi, le frère aîné de Cyr, qui se tenait debout à quelques mètres de lui. Le chef rebelle fit signe à un de ses hommes, qui accourut avec une Kalachnikov. Et sans crier gare, il fit feu sur JP.

XVI

La dépouille de JP gisait sur le sol. Dans le campement, la plupart des visages étaient horrifiés et larmoyants. Néanmoins, nul ne voulait laisser éclater sa peine, de peur d'attirer l'attention de ces prétendus soldats de Saint-Michel. Car leurs âmes étaient noires, et leur cruauté semblait n'avoir aucune limite. Ils semblaient provenir tout droit des profondeurs de l'enfer. On comprit que dorénavant on était à leur merci, et que pour le plus insignifiant des motifs, on pouvait passer de vie à trépas. Kouka, dont le visage était également mouillé de larmes, les considérait avec colère. Pour oncle Marcel, le choc était également profond, et même s'il ne connaissait pas personnellement JP, il demeurait affligé par sa mort violente et inique.

Certes, Mbandza-Ndounga n'était plus très loin, mais il ne pensait pas pouvoir y arriver sans encombre, avec son épouse et son neveu. Et il redoutait plus que jamais les impondérables. Il prit Kouka par le bras pour le contraindre à partir, mais le jeune homme qui était retombé à genoux opposa une farouche résistance. Il regardait à présent en direction de Capi, cet homme qu'il considérait autrefois comme un grand frère, disparu un an auparavant, et qui réapparaissait en seigneur de guerre. Comment avait-il pu, faire assassiner aussi froidement quelqu'un qu'il connaissait ? Kouka eut un haut-le-cœur. Capi, qui venait d'enlever ses lunettes, promena son regard sur la foule, qui était complètement tétanisée. Le chef rebelle, avait dans ses yeux quelque chose de démoniaque, et semblait n'être habité d'aucun sentiment. Il fit signe à ses hommes de s'en aller ; et très vite, on les vit s'activer pour rejoindre leurs véhicules.

Capi s'avança vers son 4x4. Un Nsiloulou, celui-là même qui venait d'abattre JP, lui ouvrit la porte. Il était vêtu d'une chemise à manches courtes, d'un pantalon bleu et, il portait sa Kalachnikov en bandoulière. Il avait également un bandeau violet sur la tête, mais contrairement à ses compagnons, il n'avait pas de barbes et ses cheveux étaient courts. Ces deux derniers détails attirèrent l'attention de Kouka, qui regarda de plus près. C'est ainsi qu'il reconnut, non sans stupéfaction Victor, l'apprenti de maître Nzouzi. Que faisait-il là, vêtu à la manière des rebelles ? Qu'en était-il de Cyr et de son père ? Machinalement, Kouka s'avança en courant, tandis que Victor et ses compagnons prenaient place à bord de leurs véhicules. Prompt comme l'éclair, le cœur battant, il les passa tous en revue. Puis au bout d'un instant, il trouva ce qu'il cherchait ardemment. D'abord, il n'en crut pas ses yeux, mais le doute s'estompa rapidement ; c'était bien Cyr, qui se tenait assis dans le pick-up dans lequel Victor venait de monter. Il avait détourné son regard, probablement pour ne pas assister à ce meurtre de sang-froid. Étonné de le trouver en compagnie de ces assassins, mais heureux de le savoir en vie, Kouka se mit à crier comme un enragé le nom de son copain ; mais le vrombissement des véhicules qui venaient de démarrer masquait le son de sa voix. Le convoi s'ébranla à toute allure, et Kouka, éperdu, le vit disparaître dans un immense nuage de poussière.

Les obsèques de JP eurent lieu vers neuf heures à l'entrée de la forêt, en présence du chef de village et de quelques déplacés, qui avaient à cœur de témoigner ainsi leur solidarité. Étant donné qu'il était le seul à le connaître, ce fut à Kouka qu'il incomba la lourde de tâche de prononcer l'oraison funèbre. C'était la première fois, qu'il se livrait à cet exercice ô combien ardu. Et le jeune homme fut très vite submergé par les émotions. Ses yeux s'embuèrent de larmes, et ses propos devinrent inintelligibles. Fort heureusement, son oncle et sa tante se tenaient à ses côtés pour l'épauler. JP fut enterré dans des conditions misérables, sans cercueil ni linceul. On se contenta de recouvrir sa dépouille d'un pagne éculé, et de l'enfouir dans un trou creusé à la hâte. Vers onze heures et demie, tout le monde leva le camp, fuyant l'atmosphère morose qui s'était abattue sur le village de Moutampa, depuis l'incursion des rebelles.

Le reste du trajet se déroula dans le silence. Les pas étaient lents, hésitants, et on marchait avec la boule au ventre. Pour rompre le silence, oncle Marcel et son épouse demandèrent à Kouka de leur raconter tout ce qu'il savait sur Capi. Le jeune homme s'exécuta, n'omettant aucun détail, et ce long récit les occupa durant une bonne partie de la matinée. En début d'après-midi, comme ils venaient de dépasser un village du nom de Mabassa ; ils abordèrent une route abrupte qui les mena devant un pont, en dessous duquel coulait une grande rivière.

« Ça y est ! s'exclama oncle Marcel, dont le visage avait retrouvé un semblant de gaîté. Nous sommes enfin arrivés !

— Déjà ? demanda Kouka avec étonnement.

— Oui. Soyez les bienvenus à Mbandza-Ndounga ! »

***

Pour savourer sa pipe, écouter la radio, ou tout simplement recevoir ses nombreux visiteurs, Tâ Louzolo avait fait construire une paillote non loin de sa case. De grands arbres fruitiers ombrageaient cet endroit. Cet homme âgé de soixante-huit ans, au crâne chauve et au visage buriné, avait fait fortune dans le commerce du charbon de bois. Durant plus d'une trentaine d'années, les camions de sa société n'avaient eu de cesse d'arpenter la région du Pool, mais aussi une bonne partie de Brazzaville, où il régnait en maître sur ce juteux marché. À la mort de son épouse, survenue dix ans auparavant, il choisit de se retirer dans cet immense domaine de Mbandza-Ndounga ; qui comprenait une concession d'une dizaine de cases, mais aussi plusieurs hectares de plantations et de forêts. Tâ Louzolo était un homme réservé qui, malgré la richesse qu'il avait accumulée et les multiples sollicitations émanant de Brazzaville, avait préféré se tenir à l'écart du milieu politique. Il tenait tous les politiciens en piètre estime et, déclarait haut et fort, qu'ils avaient apporté plus de problèmes que de solutions au Congo ; et les récents événements semblaient hélas lui donner raison. Il vivait en bonne intelligence avec son voisinage, et avait même intégré le cercle des notables du village. Quelquefois, on faisait appel à lui, pour trancher des questions administratives, mais également coutumières. Au demeurant, le chef de district et le chef du village, dont il était très proche, passaient le voir quasi quotidiennement.

Ce matin-là, Tâ Louzolo était absorbé dans quelque pensée. En effet, la guerre faisait rage à Brazzaville, et on disait même que les affrontements s'étaient étendus jusqu'à Nganga-Lingolo ; c'était là que son fils Marcel et son épouse Esther habitaient depuis des années. Cela faisait quatre jours, que ce nouveau conflit armé, dont personne n'arrivait réellement à cerner les tenants et les aboutissants, avait commencé. Quatre jours durant lesquels, il ignorait ce qu'il en était de son fils et de sa bru ; et cette situation le préoccupait affreusement.

De ses trois enfants, Marcel, qui arrivait en deuxième position, était le seul à être resté non loin de lui. Ses deux autres garçons habitaient Pointe-Noire, en bordure de l'océan Atlantique. Une ville qui, d'après les informations qu'il avait obtenues, était pour l'heure épargnée par les affrontements. Durant les jours précédents, il avait supervisé avec les notables du village, l'accueil de nombreux déplacés. L'école primaire, le collège et la cour de l'église avaient été réquisitionnés pour la circonstance. Lui-même avait reçu de la famille dans sa demeure ; mais aucune trace de son fils.

Son désarroi était d'autant plus grand, qu'il était au fait des horribles forfaits commis par les Nsiloulous. Pour se changer les idées et ne pas se laisser abattre, il alla marcher seul en forêt, comme il avait coutume de le faire de temps en temps. Il rentra vers quatorze heures et demie, et retourna aussitôt s'asseoir dans sa paillote. Sur ces entrefaites, Pascal, un jeune villageois qu'il employait comme homme à tout faire, arriva en courant. Il lui annonça de but en blanc, une nouvelle qui le fit littéralement bondir de sa chaise. Pascal demanda à Tâ Louzolo de le suivre, toute affaire cessante. Il l'emmena à l'entrée de la concession. Ils y trouvèrent oncle Marcel, en compagnie de son épouse Esther et de Kouka. Tous les trois étaient assis sur leurs bagages, et tentaient de reprendre haleine après un long et périlleux voyage.

XVII

Hormis les messes célébrées à la paroisse du village, les festivités de Noël et du Nouvel An furent quasiment passées sous silence ; et on entra lentement dans le mois de janvier 1999. À l'exception de trois hommes, prétendument infiltrés, qui furent exécutés un matin par les Nsiloulous, le calme semblait s'être installé dans le village de Mbandza-Ndounga ; où la population avait augmenté de manière considérable. Fort heureusement, les villageois surent très vite s'accommoder à la présence de ces nombreux déplacés ; lesquels s'organisaient tant bien que mal pour survivre. Ils travaillaient le plus souvent dans les champs, pour le compte de propriétaires terriens qui les rétribuaient en nature. Au commencement de cette guerre, nombreux à l'instar de Kouka, pensaient que Brazzaville avait été complètement ravagée par les affrontements, et que, le reste de la population avait été décimé. Or, ce ne fut pas le cas, et la radio, notamment RFI, vint très vite démentir cette version. Dans les faits, la bataille du 18 décembre s'était cantonnée aux quartiers sud de la capitale ; et les populations qui avaient envahi le Pool provenaient en grande partie de cette zone. En revanche, la vie semblait suivre son cours, dans les quartiers nord situés au-delà du Centre Culturel Français. Sur Radio Liberté, qui était acquise au pouvoir en place, on entendait continuellement la voix nasillarde du ministre Augustin Lokuta, alias « Le Président a dit ».

Avec la morgue qui le caractérisait, il inondait les ondes de ses discours laudateurs, donnant moult détails sur les actions récentes du président de la République, et sur les projets à venir. Depuis le début de l'année, il évoquait constamment un projet titanesque baptisé « municipalisation accélérée » ; visant à pourvoir, d'après lui, l'entièreté du pays en infrastructures. Les montants alloués à ce projet n'étaient pour l'heure pas connus du grand public, mais ils étaient, selon certaines estimations, astronomiques. On parlait de plusieurs centaines de milliards de francs CFA, ce qui, aux yeux de nombreux Congolais, n'avait rien de très rassurant ; compte tenu notamment, de la corruption endémique qui sévissait dans le pays. Kouka, lui, vitupérait contre tout ce matraquage médiatique. Il estimait que cela était tout à fait indécent. Mais on comprenait aisément que le pétulant ministre avait à cœur de démontrer que le pays continuait de fonctionner, nonobstant la situation chaotique dans le Pool. Il avait toujours un mot à l'adresse de la communauté internationale, auprès de laquelle les autorités congolaises voulaient faire bonne figure ; déclarant que « Son Excellence Monsieur le président de la République », ne ménageait aucun effort pour mettre un terme à la rébellion et, entendait coûte que coûte aider les déplacés à regagner Brazzaville. Le chef de l'État s'offrait même le luxe de recevoir ses homologues, ainsi que certains organismes internationaux. Toutes ces nouvelles augmentèrent la frustration des déplacés du Pool, qui se sentaient plus que jamais pris au piège d'une rébellion, dont l'impréparation était criante.

De leur côté, Kouka, oncle Marcel et trois de ses cousins, qui venaient également de la capitale, s'adonnaient quotidiennement aux travaux champêtres. Sous de fortes chaleurs, ils passaient leurs matinées à cultiver la terre, et à cueillir des légumes et des fruits, dans l'immense domaine de Tâ Louzolo. Ils regagnaient la concession vers midi. La relève était ensuite assurée par les femmes, qui s'activaient des heures durant, pour concocter le plat du jour.

C'était durant ce laps de temps que Kouka vaquait à d'autres occupations. Il développa une passion pour la littérature, sous les auspices d'un des cousins d'oncle Marcel, dénommé Claver ; lequel enseignait le français, dans un lycée de Brazzaville. Il avait eu le génie de fuir son domicile, en emportant avec lui une bonne vingtaine de romans. « On m'a dit que tu rêvais de faire de la politique, avait-il dit un jour à Kouka. Je te conseille donc de lire, le plus souvent possible. Car un bon politicien se doit d'être un intellectuel. » Voilà comment Kouka fit connaissance avec des écrivains de renom, et put s'immerger dans leurs univers respectifs. Ousmane Sembene, auteur du très célèbre roman « Les bouts de bois de Dieu », Amadou Hampâté Bâ, ou encore les Français Alexandre Dumas et Guy de Maupassant, furent les écrivains qui captivèrent le plus son attention. Lorsqu'il en avait assez de lire, il aimait à se promener dans le village, pour se dégourdir les jambes. Quotidiennement, excepté les jours de pluie, il arpentait le village d'un bout à l'autre. Il longeait la grande route, passant devant l'école et l'église, deux endroits qui s'étaient mués en de véritables camps pour déplacés. Il ne consentait à rebrousser chemin, qu'une fois arrivé à l'entrée du village.

Toutefois, il ne rentrait jamais directement à la concession. Il s'attardait d'abord sur la place du marché, où nombre de gens venaient se délasser, et s'échanger des nouvelles du front, dans un vacarme assourdissant. Les rumeurs et les spéculations allaient bon train. Faisant fi des informations que leur livrait la radio, certains affirmaient que la guerre était en passe d'être gagnée par les Nsiloulous ; et que, le président de la République s'était enfui avec toute sa famille, dont la plupart des membres, occupaient des postes à responsabilité dans le pays. D'autres, plus lucides, ne se gênaient pas pour déverser leur fiel, allant jusqu'à traiter les Nsiloulous d'aventuriers. Pour ceux-là, il était plus que certain que cette croisade était vouée à l'échec. Bien entendu, ce genre d'offenses se faisait à la dérobée ; car il fallait se prémunir du courroux mortifère des soldats de Saint-Michel. Ces derniers ne s'étaient pas établis à Mbandza-Ndounga, mais ils faisaient souvent des apparitions inopinées, par petits groupes. Certains jours, c'étaient des régiments entiers, qu'on voyait passer sur la grande route, conduisant à tombeau ouvert en direction du front.

Kouka appréciait l'ambiance du marché. Il aimait être au milieu de tous ces gens, qui comme lui, attendaient impatiemment le dénouement de ce conflit. Tous s'accrochaient ardemment à l'espoir de repartir un jour à Brazzaville. Le marché était également le lieu, où l'on s'abreuvait de récits enjôleurs et fantasques sur les Nsiloulous. On leur prêtait des pouvoirs surnaturels. On racontait que grâce à leurs bandeaux violets, et surtout leurs Kamons – qui étaient des fétiches qu'on injectait dans le corps par des scarifications –, ils étaient invulnérables ; ne craignant ni les balles ni les coups de poignard. On disait également qu'ils disposaient du don d'invisibilité, et que dans les situations extrêmes, ils étaient capables de se téléporter hors du champ de bataille. L'un de leurs plus fervents admirateurs était un vieillard du nom de Ya Bâchi. Chaque jour, devant son étal de légumes, il couvrait d'éloges les Nsiloulous. Beaucoup de gens ne le prenaient pas au sérieux, et attribuaient son excès de zèle à l'abus de vin de palme. Mais d'autres, plus faibles d'esprit, faisaient grand cas de tout ce qui sortait de sa bouche.

Cependant, il n'y avait pas que des histoires extravagantes à se mettre sous la dent. Certaines informations étaient somme toute pertinentes. En écoutant Ya Bâchi, Kouka réussit par exemple, à mieux comprendre le fonctionnement de la rébellion. Il apprit ainsi que Capi, bien qu'ayant un rôle de premier plan, n'était pas le chef de ces hérétiques. Il s'agissait d'un tout autre personnage, beaucoup plus énigmatique. Une sorte de gourou auquel ils obéissaient aveuglément. Un homme que tout le monde appelait Tâ Tchûla. On lui prêtait les mêmes pouvoirs magiques qu'aux Nsiloulous, auxquels s'ajoutaient les dons de divination et la capacité de guérir les fous. Ce dernier détail était pour Kouka, celui qui se rapprochait le plus de la réalité ; tant certains rebelles, compte tenu de leurs agissements, lui donnaient clairement l'impression d'être dans un état de déraison, et de provenir d'un asile psychiatrique. De l'aveu de Ya Bâchi, Tâ Tchûla était l'une des incarnations de l'archange Saint-Michel. C'était lui, le véritable moteur de cette révolution, le messager, celui à qui incombait la mission de libérer le Congo du joug du malin, c'est-à-dire le président de la République. Hormis le fait qu'il se trouvait aux alentours de Kindamba, rien ne filtrait sur ce ténébreux personnage, que ses séides avaient élevé au rang de demi-dieu. On savait uniquement que dans son entreprise, il était accompagné de plusieurs seigneurs de guerre, dont les plus influents, mais aussi les plus dangereux étaient : Yogoshi, Pistolet, un certain Ku Bwa Ku Telema et bien sûr Capi. Chacun d'eux avait sous son commandement des centaines d'hommes.

Kouka découvrit également, un nombre incalculable de règles, auxquelles les Nsiloulous devaient s'astreindre, sous peine de perdre incontinent toutes leurs prétendues aptitudes surnaturelles. Ils avaient par exemple, interdiction de serrer la main aux femmes et, de les connaître bibliquement. En aucun cas, ils ne devaient consommer de la viande, ou de l'alcool. Lors des baignades dans certaines rivières, ils ne devaient guère se mêler aux civils. Et bien évidemment, ils avaient ordre de marcher constamment pieds nus, et de ne jamais se départir de leurs multiples amulettes. Tous ces interdits ajoutaient une part de mystère, à ce qui ressemblait de plus en plus à une secte. Mais la question qui tourmentait le plus Kouka était de savoir où se trouvait Capi, et par conséquent Cyr. Malgré les recherches qu'il avait effectuées jusque-là, il n'obtint jamais de réponse. Il commençait sérieusement à perdre espoir.

Vers la fin du mois de janvier, la situation dans cette région coupée de Brazzaville commença à empirer. Nombre de denrées de première nécessité vinrent à se raréfier, et lorsqu'ils étaient disponibles, leurs prix étaient presque multipliés par dix. Le sel fut le condiment qui manqua le plus aux populations. On parcourait des dizaines de kilomètres, pour tenter de s'en procurer, mais en vain. La disette frappa également la concession de Tâ Louzolo, d'autant que le vieil homme voyait ses ressources financières s'épuiser. En effet, la région étant dépourvue d'agences bancaires, toute sa fortune était stockée à Brazzaville. Il était donc contraint de faire le voyage, tous les deux mois, pour s'approvisionner en espèces sonnantes et trébuchantes. Son dernier ravitaillement datait du mois de décembre. C'était une semaine avant le début de la guerre.

Pour soulager son père, et s'aligner sur le coût de la vie, oncle Marcel proposa qu'on réduisît drastiquement les dépenses et les rations alimentaires. Dès lors, il n'y eut plus qu'un seul repas dans la journée. Et le reste du temps, on dut se contenter de quelques fruits. Dans le village, le maraudage se multiplia. Nuit et jour, des hordes d'affamés prenaient d'assaut les champs alentour, faisant main basse sur les cultures vivrières. Malgré la dizaine de jeunes, embauchés pour le surveiller, le domaine de Tâ Louzolo ne fut pas épargné par ce fléau. Sur la place du marché, les nouvelles n'étaient guère plus rassurantes, d'autant que les Nsiloulous communiquaient peu sur leurs actions. Néanmoins, on continuait de les voir traverser le village à bord de leurs pick-up ; chantant à tue-tête des chansons qui vantaient leurs exploits, et incitaient au meurtre des miliciens Cobras et de leur chef, le président de la République. Mais très vite, des événements vinrent jeter le trouble dans l'esprit des gens. Subrepticement, une poignée de Nsiloulous commença à faire défection, errant dans Mbandza-Ndounga et les villages environnants. Les plus loquaces d'entre eux distillèrent quelques détails croustillants. Ils déclarèrent que pour l'heure, la situation tournait à l'avantage des Forces armées congolaises. Les raisons évoquées étaient l'infériorité numérique, mais aussi le faible armement des rebelles ; lesquels voyaient le nombre de leurs morts et de blessés augmenter de manière significative.

Publiquement, et au grand dam de Ya Bâchi, grand admirateur des rebelles devant l'éternel, les déserteurs en vinrent à battre en brèche, toutes les croyances auxquels leurs compagnons de lutte étaient attachés. À leurs yeux, cette guerre était perdue d'avance ; et arborer des bandeaux violets, ou des Kamons, n'y changeait strictement rien. Peu à peu, ils reprirent des habitudes de simples civils, multipliant les beuveries, où le vin de palme – que l'on savait capiteux – coulait à flots. Et à la tombée de la nuit, ils se livraient à la luxure en compagnie de jeunes femmes lubriques, qu'ils entraînaient à la dérobée dans la forêt. Au fil des jours, le nombre de ces déserteurs alla croissant.

Dans le même temps, du fait de la dégradation des conditions de vie des déplacés, on commença à recenser les premiers cas de malnutrition et de maladies graves dans le village. Comme à l'accoutumée, ceux qui ignoraient l'origine de leurs maux optèrent naïvement pour l'automédication. Malheureusement, à la rareté des denrées alimentaires, s'ajouta celle des produits pharmaceutiques. Obtenir de simples comprimés effervescents, pour les douleurs et fièvres, relevait dorénavant de l'exploit ; il fallait là aussi parcourir des dizaines de kilomètres, pour en trouver. Compte tenu de ce contexte délétère, on vit s'accroître le nombre de décès dans toute la localité et ses environs. Chaque semaine, dix à vingt personnes étaient mises sous terre. Femmes et enfants étaient les plus touchés. Dans tout le village, les soirées étaient ponctuées par les veillées mortuaires, les pleurs et les lamentations. La situation devenait apocalyptique. Pour se donner du cœur au ventre, et ne pas s'apitoyer sur leur sort, quantité de gens s'orientèrent davantage vers la religion, à grand renfort de prières. Car face à cette suite de calamités, ils ne voyaient plus que la main du Très-Haut, pour leur porter assistance. Le curé de la paroisse croulait littéralement sous les demandes de messes d'action de grâce. Rien n'y faisait. La liste des morts continuait de s'allonger.

Les dirigeants administratifs ayant pris la poudre d'escampette, par crainte de représailles de la part des Nsiloulous ; les notables s'étaient substitués à eux, dans la gestion des affaires courantes. Ils allèrent trouver Tâ Louzolo, afin qu'il les aidât à trouver des solutions idoines, pour sortir de cette crise sanitaire. Après avoir passé en revue plusieurs choix, ils tombèrent d'accord sur le fait d'aller quérir un médecin, qu'ils avaient repéré à onze kilomètres de Mbandza-Ndounga. Cet homme d'une trentaine d'années avait également fui la capitale. Il venait de terminer ses études de médecine, et avait récemment été affecté au CHU de Brazzaville ; mais la guerre du 18 décembre avait fait voler en éclat ses projets professionnels. Les notables du village l'accueillirent en grande pompe. Auréolé de toute cette considération, il se mit à l'ouvrage avec entrain. Il examina une kyrielle de patients, et diagnostiqua très vite de nombreuses maladies, dont le paludisme, la tuberculose et le choléra. Selon lui, la première cause de ces affections était l'insalubrité. Il fit part de ses recommandations. Il fallait assainir la cour de l'école, ainsi que celle de l'église et, même si cela relevait de l'exploit, imposer des règles d'hygiène strictes aux déplacés. Puis il rédigea force ordonnances, et s'en alla après trois jours d'intense labeur. Mais il ne rentra pas les mains vides. Il reçut de la part des notables, un sac d'arachides, du manioc, une dame-jeanne de vin de palme et un gibier, qu'on alla chasser la veille de son départ. Il dut s'adjoindre deux garçons du village, pour l'aider à transporter ces multiples présents.

Chez Tâ Louzolo, les réserves alimentaires s'amenuisaient comme peau de chagrin ; et pour le reste de la famille, la consommation fréquente de nourriture sans sel, devint très vite fastidieuse et écœurante. Certains jours, d'aucuns étaient tentés par le jeûne, mais ils se ravisaient aussitôt, car il était inimaginable de dormir le ventre vide. Les choses allèrent de mal en pis, quand un soir, un énorme incendie vint ravager une bonne partie des champs de Tâ Louzolo. Ce drame, dont on ne sut jamais la cause, plongea la famille dans une profonde tristesse. Le lendemain matin, les hommes allèrent constater l'ampleur des dégâts. Ils furent horrifiés. Le sol était noirci par les cendres, de ce qu'il restait des légumes, des fruits et des tubercules de manioc. Certains arbres étaient encore fumants. Ils retrouvèrent même quelques cadavres d'animaux sauvages, complètement calcinés, qui n'avaient pas pu s'extraire à temps de ce piège de feu.

Fort heureusement, une dizaine de palmiers à huile furent sauvés du désastre, mais ce fut une maigre consolation, étant donné que le reste de ce domaine fertile était parti en fumée.

XVIII

Tâ Louzolo s'enferma dans sa case, durant les jours qui suivirent l'incendie. On ne le revit qu'à la fin de la semaine. Il semblait avoir encaissé le choc. Un soir, après le repas, il réunit toute la famille, pour leur faire part de certaines choses :

« Mes enfants, dit-il avec gravité, si nous ne voulons pas mourir de faim, nous allons devoir nous organiser avec les quelques économies qu'il me reste. Je propose que nous arrêtions d'acheter au détail, ça nous évitera de trop dépenser. Nous devons trouver des grossistes, surtout que nous avons perdu nos plantations, qui nous fournissaient jusqu'à présent en fruits et légumes.

— Mais papa, où veux-tu qu'on puisse trouver des grossistes ? demanda oncle Marcel.

— C'est simple mon fils, vous allez devoir partir à Kinkala. J'ai appris par une de mes connaissances que dans ce secteur, on trouve encore de la nourriture à des prix raisonnables, et en très grande quantité. »

Il fut décidé qu'oncle Marcel irait avec Serge, un de ses cousins également rescapé de Brazzaville qui, depuis le mois décembre, habitait la concession avec sa femme et son jeune fils. En dépit de la réticence de tante Esther, Tâ Louzolo donna son aval à Kouka, pour faire partie du voyage.

Les trois hommes partirent pour Kinkala, une semaine après le funeste incendie. Le mois de février venait de débuter. Ce matin-là, le ciel était nuageux et l'air était frais, c'était la période de la petite saison sèche. Tante Esther leur fournit un sac, contenant de l'eau et quelques victuailles. Malgré son insistance, oncle Marcel refusa obstinément de prendre davantage de nourritures. « Nous avons une longue distance à parcourir, avait-il dit. Nous devons voyager léger. » Et son épouse se résigna. Depuis le 18 décembre, les Nsiloulous, qui manquaient cruellement de moyens pour mener à bien cette guerre, avaient procédé à la confiscation systématique, de tous les véhicules qui croisaient leur chemin. Personne à part eux, n'était autorisé à en posséder un dans toute la région. Quantité de familles furent ainsi dépossédées de ce bien ô combien précieux. On n'avait pas d'autre choix que de marcher continuellement, peu importe la distance à parcourir, en respectant bien sûr la consigne de ne pas mettre de chaussures. Les trois hommes allaient donc effectuer leur long voyage, dans des conditions aussi pénibles.

Ils cheminèrent des heures durant sur la grand-route, puis, arrivés à près d'une quinzaine de kilomètres de Mbandza-Ndounga, coupèrent par la forêt ; empruntant des sentiers tous plus sinueux les uns que les autres. Ouvrant la marche, oncle Marcel coupait les branches et les épines qui obstruaient le chemin, au moyen d'un coupe-coupe parfaitement aiguisé, qu'il avait emprunté à son père. Vers midi, ils débouchèrent sur un vallon, sur lequel le soleil dardait amplement ses rayons, et où coulait une très grande rivière. Ils décidèrent de faire étape à cet endroit, et se ruèrent sur les victuailles de tante Esther. Quand ils furent repus, ils succombèrent à la tentation, et allèrent se baigner dans l'eau fraîche qui s'écoulait devant eux. Après quoi, ils firent une sieste d'une heure tout au plus, et se remirent en chemin. Il leur fallut ensuite crapahuter durant tout l'après-midi, dans une zone montagneuse, où leur endurance fut mise à rude épreuve.

Vers dix-sept heures, ils arrivèrent en sueur dans le village de Nganga-Kobo. Sur les recommandations de Tâ Louzolo, oncle Marcel et ses deux compagnons allèrent trouver un vieil homme chenu du nom de Tâ Mampouya. C'était un notable du coin. Ils passèrent la nuit à son domicile, et partirent au point du jour, profitant de la fraîcheur matinale pour avancer plus vite. En début d'après-midi, ils atteignirent une colline, du haut de laquelle ils aperçurent enfin les faubourgs de Kinkala.

En pénétrant dans ce bourg, qui faisait office de chef-lieu de la région du Pool, ils voulurent tout d'abord s'alimenter, car le voyage avait usé toutes leurs forces. Et à l'exception de quelques fruits, ils n'avaient presque rien consommé de la journée. Ils jetèrent leur dévolu sur une gargote, située non loin de la mairie de Kinkala. À l'exception du couple d'un certain âge qui gérait les lieux, il n'y avait personne. On servit aux voyageurs quelques morceaux de manioc, ainsi qu'un bouillon de gibier, dont le goût, malgré le manque de sel, leur parut acceptable. Ils eurent même la bonne fortune, de goutter un excellent vin de palme. Ils profitèrent de l'occasion pour se renseigner auprès du vieux couple, concernant les opportunités qu'ils pouvaient trouver à Kinkala. Le mari prit la parole, et leur exposa la situation sans ambages, stoppant net leur enthousiasme :

« Je ne sais pas qui vous a raconté de telles histoires, dit-il en ricanant, mais ça fait longtemps qu'il n'y a plus rien à acheter par ici.

— Comment est-ce possible ? demanda oncle Marcel, qui avait du mal à cacher son étonnement.

— C'est à cause des rebelles, soupira le vieil homme. Ça fait plusieurs mois qu'ils sèment la pagaille dans notre secteur. Ils agressent, rançonnent, tuent et commettent des viols.

— Des viols ? fit oncle Marcel. Mais je pensais qu'ils n'avaient pas le droit de toucher aux femmes.

— Oh, vous savez, on ne sait plus trop quoi penser avec eux. Surtout avec tous les déserteurs qui traînent dans le coin. Ce sont les plus dangereux. Quand ils débarquent, ils ne demandent rien. Ils se servent, et puis c'est tout. C'est ce qui a forcé les gens à fuir. À part nous, et des gens qui n'ont nulle part où aller, il n'y a presque plus personne ici. Vous feriez mieux de vite rentrer à Mbandza-Ndounga, là-bas au moins vous êtes proches du fleuve, ça vous permet de goutter de temps en temps du poisson frais, même s'il manque de sel. Ici, c'est vraiment une question de chance. »

Le vieil homme se tut durant un court instant. Lorsqu'il reprit la parole, il leur indiqua que le maire et le préfet de Kinkala, considérés comme proches du pouvoir de Brazzaville, avaient été exécutés sauvagement, plusieurs mois auparavant. Le reste de leurs collègues, du moins ceux qui n'étaient pas morts, avaient pris la clé des champs.

Éperdu, oncle Marcel interrogea du regard ses deux compagnons d'infortune, qui ne surent que répondre. Tous les trois s'empressèrent de terminer leur repas, et prirent aussitôt congé du vieux couple. Quand ils furent au-dehors, il ne leur fallut que quelques minutes, pour se rendre compte que le vieil homme disait vrai. À l'exception des chiens errants faméliques, qui fourrageaient dans les poubelles, à la recherche de quelque chose à se mettre sous la dent, et des passants aux aspects fantomatiques, qui déambulaient çà et là, Kinkala était aussi lugubre qu'un cimetière. Seul le bruissement du vent dans les arbres venait meubler le morne silence qui régnait dans la rue. Quelquefois, on voyait passer de minuscules tourbillons de poussière, signe que des esprits rôdaient dans les environs, selon les croyances ancestrales. Une maison sur deux semblait laissée à l'abandon, et la plupart des volets étaient fermés. Les trois voyageurs furent dévastés, par ce spectacle de désolation qui s'offrait à eux. Ils déchantaient au fur et à mesure qu'ils avançaient. Ils allèrent ensuite du côté de la préfecture, qui avait conservé le long de ses murs énormément d'impacts de balles. Le bâtiment principal avait été incendié, et les annexes avaient été saccagées. Il ne faisait aucun doute que les Nsiloulous étaient passés par là. Sur la gauche, on distinguait la carcasse calcinée d'un 4x4 ; qui avait probablement appartenu au défunt préfet. En plein milieu de la cour trônait l'impressionnante statue du résistant André Grenard Matsoua. Kouka en avait vaguement entendu parler, mais il n'avait pas encore eu l'opportunité de la contempler ; étant donné qu'il n'était jamais venu à Kinkala auparavant. Chose étrange, la statue semblait avoir été épargnée par les affrontements, qui s'étaient déroulés dans l'enceinte de la préfecture. À part la poussière, elle ne comportait aucune détérioration singulière. Élevés dans la pure tradition animiste, oncle Marcel et son cousin Serge, imputèrent ce fait insolite à Matsoua lui-même, du moins son esprit, qui continuait d'après leurs dires, de sillonner la région du Pool. Kouka, quant à lui, les regarda d'un air incrédule.

Ce fut sur la place du marché qu'ils rencontrèrent un semblant d'animation. Sur des étals et à même le sol, des vendeuses s'échinaient à vendre leurs produits. On trouvait quelques fruits, qui avaient de toute évidence été gâtés par la forte chaleur. Et il y avait également du riz en petite quantité, et de la viande, dont l'exhalaison fétide ne poussait guère à l'achat. Comme l'avait prédit le vieil homme dans la gargote, ils ne trouvèrent aucun grossiste dans toute la ville ; et les quelques produits acceptables sur le marché étaient dispendieux. Oncle Marcel se récria à plusieurs reprises, en prenant connaissance des prix que proposaient certaines vendeuses. Force fut de reconnaître que le voyage était un échec.

Les trois voyageurs furent également frappés par la profusion d'affamés, et de mendiants dépenaillés, qui tendaient leur sébile aux passants. C'étaient pour la plupart de jeunes enfants, aux visages émaciés. L'un d'eux, qui errait comme une âme en peine dans le marché, vint s'agripper vigoureusement à oncle Marcel. Il devait avoir environ dix ans, et à en juger par son odeur corporelle, son dernier bain devait remonter à plusieurs jours, voire des semaines. Kouka fut pris de pitié pour lui. Des larmes coulaient sur les joues creuses du pauvre garçon, qui continuait d'agripper oncle Marcel, et l'appelait respectueusement « Papa ».

Il lui fit comprendre, d'une voix implorante, qu'il n'avait rien avalé depuis deux jours. Et il ajouta : « Si tu ne m'aides pas, je serai mort avant le coucher du soleil. » Puis il se mit à les considérer tour à tour ; attendant à l'évidence, un geste salutaire de leur part. Kouka fut pétrifié par son regard, à l'intérieur duquel, on pouvait entrevoir le désespoir, et surtout, la peur de mourir. Ce ne fut qu'après qu'oncle Marcel eut consenti à lui donner quelques pièces, que le garçon desserra son étreinte, et s'en alla retrouver deux de ses compères du même âge, qui l'attendaient à une dizaine de mètres. Ce dernier incident ébranla fortement le moral des trois hommes ; qui décidèrent sans plus attendre de reprendre le chemin du retour.

XIX

Deux semaines s'étaient écoulées depuis l'insuccès du voyage à Kinkala. Chez Tâ Louzolo, l'ambiance était morne. Pour tout le monde, manger était devenu l'unique préoccupation. On attendait le repas du soir avec impatience. Il fallait, durant cette attente qui semblait interminable, limiter le plus possible les efforts physiques, de manière à se prémunir d'une faim précoce. De ce fait, Kouka, qui avait énormément maigri, réduisit le nombre de ses sorties dans le village, et dévora davantage de romans. Le reste du temps, il demeurait avec les autres hommes dans la paillote, où ils devisaient à longueur de journée. Grâce à Tâ Louzolo, qui avait pu se procurer des piles neuves, ils pouvaient écouter les informations à la radio ; mais les nouvelles qui leur parvenaient n'étaient pas très encourageantes. Puis un beau jour, ils apprirent qu'un marché de gros s'était formé à Kimpandzou, à une dizaine de kilomètres de Mbandza-Ndounga. Après avoir pris le temps de vérifier l'information, auprès de son entourage, Tâ Louzolo y dépêcha aussitôt son fils, et ses deux autres compagnons. Ils partirent avec deux brouettes et, contre toute attente, revinrent deux jours plus tard, le sourire aux lèvres. Ils avaient en leur possession de la viande de bœuf, des œufs, du riz, des tubercules de manioc, de la pâte d'arachide, de l'huile de palme, mais aussi quelques comprimés pour la fièvre. Ils furent accueillis en héros, par le reste de la famille, qui était au comble de la joie.

Cette merveilleuse trouvaille arriva à point nommé, d'autant qu'à Mbandza-Ndounga, le prix des denrées alimentaires était toujours aussi rédhibitoire. Pour les légumes, ils durent se ravitailler auprès de propriétaires terriens, qui tenaient Tâ Louzolo en grande estime. Toute cette nourriture fut consommée parcimonieusement durant des jours.

Or, un matin du mois de mars, un étrange événement, qui ne fut pas sans incidence sur la vie au sein du village survint. On entrait dans la petite saison des pluies. Ce jour-là, Tâ Louzolo et le reste de sa famille furent réveillés en sursaut par le chef du village. Il arriva en nage, aux environs de huit heures. À la surprise générale, il était accompagné de deux Nsiloulous. La panique fut totale, mais le chef du village s'empressa de rassurer tout le monde. Il assura que les deux rebelles, ne leur voulaient aucun mal, et souhaitaient simplement s'entretenir avec le maître des céans, c'est-à-dire Tâ Louzolo. Ce dernier les entraîna à sa suite dans sa case, à l'abri des regards. Leur entrevue fut brève, car elle dura moins d'une quinzaine de minutes. Les trois hommes s'en allèrent ensuite, aussi vite qu'ils étaient arrivés. Intrigués par cette visite quelque peu insolite, tous les membres de la famille s'attroupèrent autour de Tâ Louzolo, dont le visage était renfrogné. « Les choses vont mal ! » dit-il sans préambule. Oncle Marcel, lui proposa de s'asseoir sur une chaise. Après qu'il eut repris ses esprits, le vieil homme leur annonça qu'ils allaient très bientôt recevoir de la visite. En effet, ces deux Nsiloulous étaient venus lui faire part, de leur volonté de réquisitionner sa concession, pour y établir leur état-major. Ils habitaient jusqu'alors dans un campement, situé à près d'une vingtaine de kilomètres. Mais ils avaient besoin d'être plus proches du front, et Mbandza-Ndounga semblait être l'endroit le plus adéquat.

Oncle Marcel piqua une crise, considérant que ce n'était rien d'autre qu'un abus de pouvoir.

« Ils n'ont pas le droit de nous imposer ça ! s'écria-t-il.

— Ils ont surtout des armes, jeune homme ! lui fit observer son père. »

Kouka était sans voix. Quelle était donc cette nouvelle tragédie, qui s'abattait sur eux, alors que les choses étaient déjà si compliquées ? se demanda-t-il. Oncle Marcel revint à la charge. Il dit à son père qu'il n'était nullement obligé de satisfaire à cette demande ; même si elle émanait d'un groupe de rebelles sans foi ni loi. Car il était chez lui. Il devait forcément y avoir une autre solution.

« Tu as raison, mon fils ! répondit Tâ Louzolo, qui tentait de reprendre son calme. Mais les risques sont énormes. Tu sais comme moi que les Nsiloulous ont la gâchette facile. Ils ont choisi mon domaine, parce que c'est le plus grand de tout le village. Ils insistent sur le fait qu'ils n'interviendront pas dans notre vie privée. Nous aurons le droit, de vaquer librement à nos occupations. Ils n'ont besoin que d'un espace, pour installer leur campement. Et ils nous offrent même leur protection.

— Et quand veulent-ils s'installer ici ? osa questionner tante Esther.

— Dès aujourd'hui ma fille. »

Tante Esther se mura de nouveau dans le silence. Tâ Louzolo décida ensuite de congédier tout le monde. Il avait besoin d'être seul, pour réfléchir. Mais avant, il voulut leur livrer une ultime information, cruciale à ses yeux.

« Une dernière chose mes enfants ! J'ai oublié de vous dire que cet état-major abritera également un seigneur de guerre.

— Tu plaisantes ! fit oncle Marcel. Qui ça ? »

Son père lui répondit qu'il s'agissait d'un des hommes les plus influents de leur groupe armé, et probablement le plus redouté, après leur chef Tâ Tchûla : celui que tout le monde appelait Capi.

***

En début d'après-midi, les premiers coups de klaxon retentirent, et des dizaines de pick-up commencèrent à pénétrer en trombe dans la concession. Ils se dirigèrent vers l'endroit que Tâ Louzolo leur avait indiqué ; un espace vide en bordure de la forêt, situé à une vingtaine de mètres des habitations. Tous les hommes, qui comme à l'accoutumée s'étaient rassemblés dans la paillote, considéraient tout ce remue-ménage avec énormément d'appréhension. Les femmes quant à elles, s'étaient claquemurées dans les cases.

Plus les heures passaient, et plus le nombre de rebelles ne cessait de croître ; d'autres arrivaient à pied, portant qui des armes, qui des paquetages sur le dos. Ils devaient être environ deux cents, c'était un impressionnant régiment. On les vit s'affairer dans leur bivouac, pendant une bonne partie de l'après-midi ; dressant çà et là des tentes, dont la plus imposante fut placée au centre. Elle était assurément destinée à Capi, qui n'était toujours pas arrivé. C'était d'ailleurs à lui, que Kouka pensait le plus. La dernière fois que leurs chemins s'étaient entrecroisés, Cyr était en sa compagnie. Serait-ce encore le cas cette fois-ci ? se demanda-t-il au fond de lui.

À quatre heures de l'après-midi, Kouka obtint une réponse à sa question. On entendit d'abord des crissements de pneus, et des vrombissements provenant de la route principale. Puis, on vit s'engager dans le sentier qui menait à la concession, cinq puissants véhicules ; les mêmes qu'à Moutampa. Ils avançaient rapidement, s'engouffrant dans les ornières laissées par les autres véhicules, quelques heures plus tôt. Comme ce fut le cas la dernière fois, le 4x4 de Capi était au milieu du convoi. Dans les quatre autres véhicules, des Nsiloulous scandaient les sempiternels chants de guerre. Afin d'accueillir leur chef, les autres rebelles cessèrent immédiatement leurs travaux dans le campement. Ils vinrent se placer au centre de la cour, où ils formèrent plusieurs rangs. Le convoi s'arrêta en face d'eux. Un homme descendit d'un des pick-up ; Kouka reconnut une fois de plus Victor, qui s'était laissé pousser la barbe. Il alla ouvrir la porte du 4x4, et Capi parut. À peine avait-il posé son pied au sol, qu'une voix rauque émanant des rangs cria : « Garde à vous ! » Instantanément, tous les rebelles frappèrent le sol avec leurs pieds et firent le salut militaire.

Sans mot dire, Capi commença à passer ses troupes en revue, et Victor telle une ombre le suivait à la trace. La scène paraissait théâtrale, et si les circonstances avaient été différentes, certains n'auraient pas hésité à rire. Les rebelles, quant à eux, prenaient leur rôle à cœur ; on eût presque dit qu'ils accueillaient le président de la République en personne. Capi jeta un regard furtif vers la paillote, et à l'inverse de ce qu'il fit à Moutampa, où il resta stoïque, il leva la main pour saluer tout le monde, mais sans afficher le moindre sourire. Tâ Louzolo fut le premier à répondre à son salut, les autres en firent autant.

Capi fit ensuite signe à ses hommes. Ils traversèrent la cour, et rejoignirent leur campement. Kouka, quant à lui, n'était pas serein, il continuait de scruter les pick-up stationnés dans la cour. Soudain, il aperçut Cyr, qui venait de descendre de l'un des véhicules. Il n'en croyait pas ses yeux. Son cœur débordait de joie. Il fila comme une flèche, en direction de son ami d'enfance. Oncle Marcel, qui n'y comprenait rien, tenta de le retenir : « Mais où est-ce que tu vas ? » cria-t-il. Mais Kouka ne l'entendait plus. Il venait de se jeter dans les bras de Cyr.

XX

Le lendemain matin, ce furent les chants des Nsiloulous qui réveillèrent tout le monde. Ils venaient de commencer, selon toute vraisemblance, une séance de prière. Kouka sortit de la case qu'il partageait avec son oncle et sa tante ; lesquels s'étaient déjà levés. Il les aperçut dans la paillote, en train de conférer avec Tâ Louzolo. Il décida de ne pas les déranger, et s'installa sur une chaise, à quelques mètres d'eux. Le ciel était maussade, et le sol conservait encore des traces de la pluie, qui était tombée la veille au soir, c'est-à-dire de la boue et quelques mares. Et les toits des cases dégouttaient d'eau. Habituellement, on distinguait très clairement le chant du coq et le pépiement des oiseaux, qui annonçaient le début de la journée. Mais ce jour-là, ce furent des centaines de voix masculines, mais également le son d'un tam-tam, qui captivèrent l'attention du plus grand nombre. Kouka regarda dans leur direction et prêta l'oreille. Tous les rebelles de l'état-major s'étaient joints à cette prière. Ils avaient formé un cercle gigantesque, à l'intérieur duquel il semblait y avoir un homme, qui faisait probablement office de prêtre. Celui-ci entonnait des chants, qui étaient aussitôt repris d'une seule voix par le reste de l'assemblée. Kouka crut apercevoir l'imposante carrure de Capi, en train de battre des mains et de chanter ; mais il n'y avait aucune trace de Cyr, lequel se tenait tant que possible, à l'écart des activités des rebelles.

Le premier détail qui frappa Kouka, fut que les chants étaient harmonieux, voire lénifiants. On eût cru assister à la représentation d'une chorale de gospel ; et il n'y avait presque aucune fausse note. On était loin de l'image farouche, que ces rebelles véhiculaient au quotidien. Tout ce qu'on percevait dans leurs voix, c'était la profonde dévotion qui les animait. Quant au culte, il était singulièrement étrange et disparate, mêlant des croyances catholiques et animistes. L'archange Saint-Michel occupait bien évidemment une place centrale dans ce rituel. Son nom était invoqué, dans presque toutes leurs psalmodies ; il en était de même pour les mânes ancestraux.

La prière dura environ une demi-heure, après quoi les rebelles s'égaillèrent dans le campement. Kouka alla ensuite retrouver les autres dans la paillote. Ils partagèrent quelques ignames, et échangèrent leurs impressions, sur les étranges pratiques des soldats de Saint-Michel.

Les jours qui suivirent l'arrivée de Capi à Mbandza-Ndounga furent marqués par l'arrestation de tous les Nsiloulous, qui avaient fait défection quelque temps auparavant. Ils furent débusqués avec acharnement, et traînés de force à l'état-major ; où ils furent torturés durant des jours. Leurs hurlements donnèrent des insomnies à Kouka, et au reste de la famille. Contre leur gré, ils furent les témoins des multiples sévices, exercés par les hommes de Capi sur les déserteurs. Ce fut dans ce contexte assez particulier qu'on découvrit une terrible punition que les Nsiloulous baptisèrent « La gifle de Saint-Michel. » Elle consistait à administrer cent coups de machettes, sur le dos des personnes incriminées. On frappait avec la partie plate de la machette. Les Nsiloulous avaient la conviction intime que les déserteurs avaient été dévoyés par des esprits impurs. Ce terrible châtiment était donc de nature à les délivrer de cette perversion, et leur permettre d'expier leurs péchés. Cela dit, les déserteurs ne furent pas les seuls, à recevoir la fameuse gifle de Saint-Michel. Tous ceux qui les avaient accompagnés dans leur débauche furent également appréhendés. Et ils durent subir le même sort. On arrêta en tout une cinquantaine de personnes, parmi lesquelles figuraient quelques ribaudes, des vendeurs de boisson, ainsi que des soûlards notoires. La plupart des femmes, décédèrent des suites de ces violents coups de machettes. Les rebelles allèrent jeter leurs dépouilles dans des fosses communes, qui se trouvaient derrière leur campement, en lisière de forêt. Quant aux survivants, ils terminèrent en grande partie, avec la colonne vertébrale fracturée. Ils furent ensuite gardés prisonniers, dans un coin aménagé à dessein.

La dureté avec laquelle, tous ces gens avaient été réprimés, donna des sueurs froides au plus grand nombre. Désireux d'asseoir son autorité, Capi convoqua tous les notables du district à l'état-major. Tâ Louzolo prit également part à cette rencontre. Le seigneur de guerre n'y alla pas par quatre chemins. Il siffla la fin de la récréation, et leur fit part de sa volonté de restaurer l'ordre à Mbandza-Ndounga, mais également dans les villages alentour. Il enjoignit les notables, à dénoncer tous les outrages aux bonnes mœurs. De nombreux points de contrôle furent installés çà et là. La place du marché, d'ordinaire bruyante, devint un lieu où l'on ne s'attardait que très peu. Tous les tripots furent démantelés, et Capi déclara que toutes les personnes non mariées, qui seraient prises en flagrant délit de fornication, ainsi que celles retrouvées en état d'ébriété seraient fusillées, sans autre forme de procès. Le message était on ne peut plus clair.

Kouka, lui, passait davantage de temps avec Cyr. Il l'avait présenté à toute la famille. Leurs journées étaient marquées par d'interminables causeries, et des balades dans le village. Et en soirée, ils allaient s'asseoir en contrebas de la concession, pour contempler les lucioles, pour lesquelles ils s'étaient épris de passion ; et qui leur offraient chaque soir, un fabuleux spectacle de lumière. Mais derrière la fascination des deux amis, se cachait en réalité une certaine nostalgie ; car ces myriades d'insectes scintillant dans les ténèbres leur faisaient penser à leur quartier de Bacongo, les soirs de délestages. Un jour, comme ils étaient absorbés dans leur contemplation, Tâ Louzolo vint leur tenir compagnie. Le vieil homme leur raconta alors que, dans les légendes animistes, les lucioles revêtaient un caractère sacré, et étaient considérées comme les âmes sœurs des êtres humains. Leur lien était tel, que la mort d'un être humain entraînait systématiquement celle d'une luciole. Par conséquent, chaque fois que des personnes mouraient, on disait que des lucioles s'étaient arrêtées de briller.

Un après-midi, les deux amis décidèrent d'aller se baigner, dans la rivière qui coulait non loin de la concession. Il faisait une chaleur caniculaire, et fort heureusement, l'eau de la rivière était fraîche, car elle se trouvait au mitan d'une forêt de bambous. Ils nagèrent durant une demi-heure, avant d'aller s'asseoir sur l'herbe. Ils décidèrent de se raconter leurs déboires dans les moindres détails, et ce, depuis ce triste 18 décembre. Kouka fut le premier à se lancer dans le récit de ses mésaventures. Vint ensuite le tour de Cyr. Il raconta comment il était arrivé trop tard, pour sauver Gildas, du plan d'extermination voulu par les Nsiloulous. Il décrivit la scène d'horreur, à laquelle il avait assisté. Voir la maison de Gildas, submergée par un brasier, fut de loin, l'expérience la plus bouleversante de sa vie. Il déclara que sur le moment, il faillit perdre la tête, et voulut même braver les flammes, pour tenter de sauver son ami. Mais il finit par se ressaisir, et resta agenouillé sur le trottoir à pleurer toutes les larmes de son corps. Kouka, qui écoutait minutieusement, ne put contenir les siennes. Le récit que Cyr venait de lui narrer le bouleversa du plus profond de son âme. Il était accablé de tristesse, en repensant à la manière dont les choses s'étaient déroulées, pour Gildas et ses parents. Avait-on le droit de perdre sa vie, pour des considérations politiques ou ethniques ? se questionnait-il. Car c'étaient bien pour ça qu'on s'en était pris à la famille de Gildas. Cyr, quant à lui, en voulait énormément à son frère, ainsi qu'à toutes les têtes brûlées qui étaient placées sous ses ordres. « Je ne leur pardonnerai jamais ! » décréta-t-il, avant de frapper violemment le sol, avec son poing. Kouka réalisait une fois de plus, l'ampleur de l'abomination, dans laquelle ils étaient plongés contre leur gré. Il recommença à se torturer l'esprit, concernant sa famille ; car depuis des mois, il vivait dans l'incertitude. Les deux copains se mirent ensuite, à se remémorer des anecdotes ; et tous les bons moments qu'ils avaient vécus en compagnie de Gildas

Puis, ils demeurèrent cois, contemplant les oiseaux qui tourbillonnaient dans le firmament ensoleillé. Au bout de quelques minutes, Kouka décida de rompre le silence, et demanda à Cyr de lui dire, quand avaient eu lieu les retrouvailles avec son frère. « Le vendredi même, lui répondit-il. C'était devant la maison de Gildas. » Cyr était en train de se lamenter, lorsqu'un bras robuste vint lui saisir l'épaule. Il se retourna vivement, et se trouva nez à nez avec son frère ; qu'il n'eut aucun mal à reconnaître, nonobstant sa barbe broussailleuse, et son étrange accoutrement. Kouka lui demanda par la suite, comment il vivait tous ces bouleversements ; à savoir être le frère d'un chef rebelle, et habiter dans un campement, entouré de plus d'une centaine d'hommes en armes. Cyr, dont la voix était altérée par la colère, lui confia qu'il n'y était pas de son plein gré. Son frère ne lui avait tout simplement pas laissé le choix.

Cela s'était passé lors de leurs retrouvailles, à Bacongo. Avec la mort de Gildas, son esprit était complètement chamboulé. Et il était incapable de réfléchir correctement. Il se rappelait simplement que, sans même lui dire bonjour, Capi lui avait ordonné de monter à bord d'un pick-up, qui attendait sur le trottoir. Cyr s'était alors enquis de la situation de son père ; lequel était resté à la maison, en compagnie de Victor. La réponse de son frère fut laconique : « Ils ont déjà quitté Brazzaville ! » avait-il dit. Il le poussa ensuite vigoureusement dans le véhicule, qui démarra sur les chapeaux de roue. Les Nsiloulous emmenèrent Cyr à Linzolo. Ils y séjournèrent deux jours durant ; attendant désespérément le retour de Capi, qui était resté combattre dans la capitale.

Cyr fut rongé par l'inquiétude, durant tout le temps que dura son absence. Mais les rebelles qui l'accompagnaient lui dirent à maintes reprises de ne pas s'en faire ; car outre le fait d'être un implacable guerrier, Capi était bardé d'amulettes protectrices. D'après eux, rien ne pouvait lui arriver sur le champ de bataille. Le seigneur de guerre finit néanmoins par réapparaître, le dimanche 20 décembre en début de matinée ; soit deux jours après le déclenchement de la guerre. Il était très en colère, et pour cause, ses troupes venaient de se faire battre par les forces gouvernementales, qui avaient pris position à Nganga-Lingolo ; bloquant ainsi l'accès à Brazzaville. Il lui fallait trouver une solution. Ils restèrent à Linzolo, jusqu'au mercredi 22 décembre. Puis, ils n'eurent de cesse de changer de campements, jusqu'à leur établissement définitif à Mbandza-Ndounga. Comme la plupart des gens, Cyr considérait que les chances de réussite des Nsiloulous – dans cette guerre qu'ils avaient déclenchée de but en blanc – étaient nulles. Et il enrageait de les voir s'entêter de la sorte. D'ailleurs, cela faisait quelque temps qu'il souhaitait leur fausser compagnie, pour rejoindre son père ; lequel se trouvait à Loumo depuis le mois de décembre.

« C'est après Louingui, il me semble ? demanda Kouka.

— Oui, c'est dans le même coin.

— Et tu l'as revu depuis ?

— Non. »

Cyr expliqua à Kouka que Capi refusait pour l'heure de le laisser s'en aller. Mais lui ne voyait pas l'intérêt de rester à ses côtés. Car son frère, avec qui il avait toujours été proche dans le passé, se comportait étrangement depuis leurs retrouvailles ; ne lui adressant quasiment jamais la parole. Il avait même l'impression, d'avoir affaire à un autre homme. De plus, il était souvent absent, vu qu'il partait combattre au front. Pour Cyr, le vrai responsable de tous ces changements, n'était nul autre que Tâ Tchûla.

« Ah oui, fit Kouka en soupirant, leur fameux chef. Tu l'as déjà rencontré celui-là ?

— Une fois, répondit Cyr dédaigneusement. C'était il y a un mois, je pense, à quelques kilomètres de Kindamba. Il avait convoqué mon frère et deux autres seigneurs de guerre, pour discuter avec eux, de certaines opérations. »

Kouka voulut savoir, si toutes les rumeurs qui circulaient à son sujet étaient fondées ; ou s'il ne s'agissait que de simples légendes. Cyr devint soudainement froid, et répondit : « Je ne fais pas attention, à ce qu'on dit sur lui. Mais je suis au moins sûr d'une chose, il est complètement fou. »

**

C'était un soir de pleine lune, un vent léger soufflait sur la concession. On entendait des bruits divers provenant de la forêt ; des hululements, des grincements de chauve-souris et des chacals en train de japper. Hormis les six Nsiloulous, qui faisaient sentinelle devant l'entrée principale, tout le monde semblait s'être endormi. On approchait de minuit. Soudain, un des factionnaires secoua vivement les cinq autres, qui commençaient à piquer du nez.

« Réveillez-vous, leur dit-il, d'une voix affolée, nous avons de la visite.

— À cette heure-ci ? fit l'un des rebelles. »

En effet, ils virent arriver au débotté un groupe d'hommes armés. À première vue, ils semblaient être une dizaine, et malgré le clair de lune, on ne distinguait pas très bien leurs visages. Cinq des gardes se mirent aussitôt en position de combat, le sixième, courut chercher des renforts. Tout à coup, une voix rocailleuse les interpella :

« C'est bon les gars ! Rangez vos armes, ce n'est que moi.

— Je connais cette voix ! dit l'un des gardes. »

Il marqua un silence et se mit à réfléchir. Puis il s'écria :

« C'est toi... Makila ?

— Qui veux-tu que ce soit ? grogna ce dernier.

— Calmos, Masta. On nous avait dit que tu ne serais pas là avant demain matin. C'est pour ça que je suis un peu surpris. Baissez vos armes, vous autres !

— Où est le chef ? demanda Makila.

« — Il est sous sa tente. Il y a encore de la lumière, donc je pense qu'il ne dort pas.

— C'est parfait ! Montrez-moi le chemin, il faut que je lui parle. »

XXI

À l'inverse de Capi, Makila ne possédait aucun bagage scolaire, avant de rejoindre la milice Ninja. Sa jeunesse orageuse fut marquée par les vols et les bagarres de rues. Lui et les membres de son ancien gang « Les robots de Bacs City » sillonnaient les quartiers sud de Brazzaville, et menaient la vie dure aux habitants. Puis un beau jour, il fut approché par Capi, qui lui fit comprendre que son aplomb, pouvait servir la cause des Ninjas. C'était un an avant les événements du 5 juin 97. Depuis, les deux hommes ne s'étaient plus jamais quittés. Avant de débarquer à Mbandza-Ndounga, Makila avait séjourné à Kindamba, où il avait reçu des ordres de Tâ Tchûla ; qu'il s'empressa de communiquer à Capi dès son arrivée. Le message était clair, il fallait sans plus tarder reprendre les affrontements. L'objectif était de faire une nouvelle incursion dans Brazzaville, et tenter cette fois-ci, de passer la barrière du CCF.

Mais ce n'était pas tout, Capi, qui manquait sévèrement de moyens, reçut deux excellentes nouvelles. La première concernait le ravitaillement imminent, en armes et munitions. La seconde faisait état d'un autre seigneur de guerre, qui allait venir lui prêter main-forte lors de la prochaine bataille. Il s'agissait de Yogoshi, dont il était très proche. Lui et ses hommes donneraient l'assaut sur le chemin de fer, non loin de Goma Tsé-Tsé ; tandis que Capi arriverait par la route de Linzolo. Par cette tactique, Tâ Tchûla voulait contraindre les forces gouvernementales à morceler leurs effectifs. Toutes ces bonnes nouvelles ravivèrent le moral de Capi, qui commença dès lors à fourbir ses armes.

Ils partirent pour le front un dimanche matin, après la prière quotidienne. Deux jours auparavant, un contingent de rebelles venu de Kindamba vint livrer comme prévu des armes et des munitions. Dans le lot figuraient énormément de pistolets-mitrailleurs, des mortiers, mais également d'importants stocks de grenades et de lance-roquettes. Après ça, Capi répartit ses hommes par équipe, et donna les dernières instructions. Ce fut le branle-bas de combat à l'état-major. Plus d'une vingtaine de véhicules furent mobilisés pour la circonstance. En bon chef de guerre, Capi prit place à bord de son véhicule de commandement, et alla se placer en tête du convoi. Victor monta avec lui. Makila, quant à lui, s'installa dans le deuxième véhicule, avec une dizaine de ses hommes. Le reste des Nsiloulous, entassés dans les bennes des pick-up, excités à l'idée de guerroyer, avaient déjà entonné des chants et des hurlements. On entendait énormément de vrombissements, et de coups de klaxon. La tension était à son comble. Capi donna ensuite le signal de départ, et le grand convoi s'ébranla. Les hommes de la concession, dont Cyr, que tout le monde avait parfaitement adopté, assistèrent depuis la paillote au départ de ces nombreux véhicules. Ils les virent disparaître au loin, engloutis par la poussière qu'ils dégageaient sur leur sillage. On continuait malgré tout de distinguer leurs chants. Puis, leurs voix allèrent se perdre dans le lointain. Tâ Louzolo secoua la tête et dit : « Cette histoire va mal finir. »

Et il ne s'était pas trompé. Trois jours plus tard, Capi rentra du front, où il venait de subir l'un des revers les plus importants de cette guerre. La moitié de son régiment fut décimée, et parmi les survivants on comptait énormément de blessés graves et de moribonds. On s'occupa d'abord des cas extrêmes. D'aucuns furent amputés d'un membre gangréné ; d'autres durent se faire cautériser leurs blessures. Toute la journée, la concession vécut au rythme des hurlements de ces nombreux blessés. Et une odeur de sang emplissait l'air. Bien évidemment, les diverses opérations que subissaient les Nsiloulous étaient effectuées sans anesthésie aucune, par des gens qui n'avaient pas de vraies connaissances en médecine ; ce qui rendait la chose encore plus effrayante. Quant aux moribonds, on ne pouvait plus rien pour eux ; par conséquent, on les laissa expirer, puis on alla les enterrer dans des fosses, derrière l'état-major.

Yogoshi, qui avait également pris part aux affrontements, s'était replié non loin de Mindouli, avec ce qu'il restait de son régiment, à savoir moins d'une centaine d'hommes. La bataille fut féroce, mais les forces gouvernementales avaient réussi, avec l'appui des troupes angolaises, à venir à bout de ces légions de rebelles. Brazzaville paraissait inexpugnable. Capi, que cette dernière défaite avait totalement désarçonné, passait ses journées reclus sous sa tente. Son jeune frère, qui avait déjà peu de contacts avec lui, préféra se tenir à l'écart, pour ne pas faire les frais de son humeur massacrante.

***

Vers la mi-mars, Kouka et Cyr allèrent se balader sur la place du marché. Ce jour-là, ils firent une rencontre qui d'une certaine manière bouleversa leur vie. Il devait être quatorze heures, la chaleur était intenable. La place était pleine de badauds, qui venaient discuter quelques heures pour oublier la faim. Ya Bâchi, qui en temps normal était volubile et tout sourire, semblait avoir perdu de son engouement pour les rebelles, car il racontait de moins en moins de fariboles à leur sujet. À dire vrai, son désenchantement était total. De plus, ses affaires se portaient très mal ; et comme tout le monde, il comprenait que le pouvoir de Brazzaville conservait un avantage considérable dans cette guerre. Kouka et Cyr allèrent le saluer, mais ils ne s'attardèrent pas devant son étal, car un homme qui déambulait dans le marché attira très vite leur attention. Cyr fut le premier à le reconnaître. Il s'agissait d'Antoine, un trentenaire toujours guilleret, qui habitait l'avenue Matsoua, et était employé dans une pharmacie du centre-ville de Brazzaville. Les deux amis le tenaient en haute estime. Ils se mirent à le considérer longuement. Outre le fait de revoir une de leurs connaissances, un détail les interpella singulièrement : son aspect.

Antoine portait une très jolie casquette, une chemise à manches courtes de couleur grise, un jean bleu, et une paire de baskets blanche flambant neuve. Et il était replet, comme lorsqu'il vivait à Brazzaville. Autrement dit, dans cette région ravagée par la famine et la malnutrition ; où la plupart des gens étaient cachectiques, et s'habillaient comme ils pouvaient, c'est-à-dire très modestement, Antoine détonnait. Même Kouka et Cyr, qui avaient eu la bonne fortune d'échapper jusqu'ici aux maladies, n'avaient que la peau sur les os. De ce fait, ils étaient surpris de le revoir aussi bien portant. Ils allèrent au-devant de lui, et se mirent à crier son nom à tue-tête. Antoine se retourna vivement. Et son visage s'illumina d'un sourire, lorsqu'il sut à qui il avait affaire. « Ça alors ! fit-il. Comment ça va les gars ? Et qu'est-ce que vous faites ici ? » Pour pouvoir discuter en toute tranquillité, tous les trois allèrent s'asseoir à l'ombre d'un jacaranda, qui trônait dans la cour de l'école du village. Antoine sortit alors de son sac à dos, des canettes de soda, des gâteaux secs, ainsi que des chips, parfaitement salés. Il en proposa aux deux amis, qui écarquillèrent les yeux ; car cela faisait bien longtemps, qu'ils n'avaient plus eu l'occasion de consommer de tels produits.

Durant les voyages qu'il avait effectués avec oncle Marcel, à Kinkala et à Kimpandzou, Kouka avait pu se rendre compte de la pénurie générale, qui frappait la région du Pool. Désireux de savoir d'où provenaient toutes ces choses, lui et Cyr se mirent à mitrailler Antoine de questions. Mais celui-ci se contenta, dans un premier temps de sourire. Et les deux amis furent davantage troublés. De son habillement à son attitude, tout, chez cet homme, leur paraissait étrange. On eût presque dit qu'il n'avait pas connu les affres de cette guerre. Néanmoins, ils burent et mangèrent avec délectation. Après qu'ils eurent achevé leur petite collation, ils braquèrent leurs yeux sur Antoine, et l'assaillirent de nouveau de plusieurs questions.

« Maintenant, tu peux nous dire où tu as trouvé tout ça ? fit Cyr. Toute la région est vide. Il n'y a pas de sucre, pas de sel, pas de boîtes de conserve. Même les Nsiloulous n'arrivent pas à se ravitailler correctement. »

Kouka acquiesça.

« Oui, je sais qu'ici, vous avez pas mal de problèmes, répondit Antoine.

— Comment ça ici ? s'étonna Kouka. Tu parles comme si tu venais d'ailleurs.

— C'est exactement ça ! dit Antoine, qui les regardait tour à tour d'un air goguenard.

— Grand frère, dit Cyr, n'y tenant plus. Je n'arrive toujours pas à te comprendre. Tu dis que tu viens d'ailleurs ? Mais d'où exactement ? »

Avant de leur répondre, Antoine jeta un coup d'œil autour d'eux, vérifiant que personne ne les écoutait. Hormis quelques familles de déplacés, qui vaquaient à leurs occupations de l'autre côté de la cour, ils semblaient être seuls dans leur coin. Rassuré, il leur dit ensuite en chuchotant : « Je viens de Brazzaville. »

Les deux jeunes gens ouvrirent de grands yeux. L'un comme l'autre, crurent d'abord qu'Antoine était en train de débiter des fadaises. Mais l'air sérieux qu'il venait soudainement d'adopter, ses vêtements flambant neufs, son physique bien portant et son flegme furent autant de détails qui achevèrent de les convaincre, de la véracité de ses dires. « Comment c'est possible ? » pensa Kouka au fond de lui. Depuis le début de la guerre, le Pool était coupé de la capitale, et l'armée continuait de tenir la dragée haute aux Nsiloulous. Aucun chemin n'aurait pu permettre à quiconque de sortir de Brazzaville, pour se rendre dans le Pool, et inversement. Il y avait bien le chemin de fer, où plus aucun train ne circulait depuis plus d'une année ; mais il fallait être suicidaire pour s'y aventurer, étant donné qu'il était fréquemment le théâtre de violents affrontements.

« Je vais tout vous expliquer, reprit Antoine. Mais d'abord, vous devez me promettre de ne pas ébruiter ce que je vais vous dire, ou de n'en parler qu'à des gens de confiance. C'est une question de sécurité.

— Tu as notre parole, dit Kouka. Pas vrai Cyr ?

— Bien sûr ! »

Depuis le début de cette guerre, et cet exil forcé dans la région du Pool, les deux amis pensaient avoir tout vu, et tout entendu. Et le moins que l'on puisse dire, c'est qu'ils n'étaient pas au bout de leurs surprises. Antoine leur narra durant près de deux heures, son incroyable histoire, et ils l'écoutèrent religieusement. Le 18 décembre au matin, il se trouvait comme la plupart des gens sur son lieu de travail au centre-ville de Brazzaville. Quand les Nsiloulous firent leur apparition, tous les bus et taxis stoppèrent immédiatement leurs activités, et les forces gouvernementales bloquèrent l'accès aux quartiers sud. Il ne fut donc pas en mesure de rejoindre sa femme et son fils de dix ans, qui se trouvaient à son domicile de Bacongo, et qui disparurent ensuite sans laisser de trace. Antoine fut contraint de trouver un nouveau logement dans le quartier « Plateau des 15 ans », et des mois durant, il pleura la mort de ses proches. Puis un beau matin, un collègue de travail originaire de la République démocratique du Congo, lui dit que ça ne servait à rien, de faire le deuil de sa femme et de son fils ; car il n'avait, en réalité, aucune idée de ce qu'ils étaient devenus. Selon lui, ils étaient probablement vivants et bloqués dans le Pool, comme la majeure partie des habitants des quartiers sud. Son collègue déclara également qu'il valait mieux en avoir le cœur net. Il expliqua alors à Antoine, qu'il existait un moyen long mais efficace, d'accéder à la région du Pool. Cela impliquait de passer par Kinshasa, capitale du Congo voisin ; et de se rendre dans la province du Bas-Congo, où il était né. De là-bas, on pouvait très facilement accoster dans la région du Pool, en empruntant une pirogue.

Antoine n'en revenait pas. Cependant, dans un premier temps il demeura sceptique, quant à la faisabilité d'un tel voyage. Jusqu'au jour où, un de ses amis, qui se prénommait Bob, qui avait également trouvé refuge dans les quartiers nord, disparut pendant plus d'un mois ; et réapparut en compagnie des membres de sa famille, qu'il était allé chercher dans le Pool. Abasourdi, Antoine prit langue avec lui. Ce fut de cette manière qu'il sut, que sa femme qu'il croyait morte avait été aperçue dans le village de Matsoula, non loin de Mbandza-Ndounga. L'exploit de Bob, que beaucoup de gens ne manquèrent pas de saluer, revigora Antoine qui décida – après avoir réuni une bonne partie de ses économies, et obtenu une permission de son employeur – de tenter à son tour ce périlleux voyage. « Voilà, maintenant vous savez tout », conclut-il.

Kouka et Cyr, médusés par ce récit, demeurèrent muets durant quelques instants. Depuis des mois, ils se voyaient finir leurs jours dans le Pool, à la merci de la famine, des maladies et des rebelles. Mais Antoine venait définitivement de raviver leurs espoirs. Cyr ne put s'empêcher de laisser échapper un « Waouh ! » Kouka, lui, se donna une tape sur la joue ; comme s'il eût voulu s'assurer, qu'il ne fût point en train de rêver. Ils demandèrent à Antoine, quand il était arrivé, et s'il avait réussi à retrouver ses proches.

« Je suis à Matsoula depuis trois jours, à peine. Et j'ai retrouvé toute ma famille. Mon fils a beaucoup maigri, mais ça ira mieux, dès que nous serons rentrés à Brazzaville. Pareil pour ma femme, d'ailleurs, elle tient un stand de légumes au marché de Mbandza-Ndounga. Elle termine dans quelques minutes. C'est à elle que vous devez notre rencontre, car je passe la chercher chaque jour depuis mon arrivée.

— Et quand est-ce que tu repars pour Brazzaville ? demanda Cyr. Je suis jaloux. Si je le pouvais, je pense que je serais venu avec toi.

— Nous partons dès demain matin, répondit Antoine. Nous irons jusqu'à Mbelo, non loin de Boko. C'est par ce village que je suis arrivé. De là-bas, nous prendrons une pirogue pour passer de l'autre côté de la rive, en République démocratique du Congo. Après, il nous faudra deux à trois jours, pour atteindre Brazzaville. »

Kouka et Cyr l'interrogèrent ensuite sur la vie dans la capitale, plus précisément dans la partie nord, qui avait été épargnée par les affrontements avec les Nsiloulous. Antoine leur confirma que, tout ce qu'ils avaient appris à la radio s'avérait quasiment exact. Nonobstant les problèmes récurrents liés à la mauvaise gouvernance, et les enlèvements qui étaient en recrudescence, la vie était normale. Nombre d'entreprises, publiques comme privées, continuaient de fonctionner ; les Ngandas ne désemplissaient toujours pas, et les écoles avaient essayé de maintenir le rythme. Beaucoup de jeunes provenant de Bacongo avaient ainsi pu continuer leur scolarité, en s'inscrivant dans d'autres écoles de la zone nord. Antoine leur apprit également que des dates avaient été retenues, pour les examens nationaux du CEPE, du BEPC et du Baccalauréat. Ce dernier détail fut celui qui intéressa le plus les deux jeunes hommes. Un sentiment de tristesse les envahit aussitôt. Car ils se rendaient compte, que la guerre les tenait une fois de plus éloignés des bancs de l'école. Antoine s'aperçut de leur changement d'humeur, et décida de ne pas s'attarder sur ce sujet. Il leur donna des nouvelles des gens qu'ils avaient en commun, qu'il avait revus dans les quartiers nord. Nombre d'entre eux, qui n'avaient pas les moyens de se reloger convenablement, séjournaient dans des sites dédiés aux déplacés. Pour ne pas rajouter de la peine, dans les cœurs de Kouka et Cyr, il préféra ne pas évoquer le cas des personnes décédées ; car il y en avait beaucoup malheureusement, même parmi leurs amis d'enfance. Ils avaient péri, pour la plupart, durant les quatre premières semaines de ce conflit. Tout à coup, Antoine sursauta et se frappa le front, comme s'il venait de se rendre compte, qu'il avait commis quelque maladresse :

« Mince, ajouta-t-il à l'adresse de Kouka. J'ai failli oublier le plus important, et ça te concerne.

— Ah bon ? Et quoi donc ?

— Tes parents et moi habitons le même quartier à Brazzaville ! »

XXII

Depuis qu'Antoine lui avait annoncé la bonne nouvelle, Kouka était au comble de la joie ; une joie qu'il partageait amplement avec le reste de la famille, au sein de la concession. Antoine, qui était rentré à Brazzaville le lendemain de leur rencontre, lui avait raconté l'incroyable aventure de ses parents et de ses deux frères. Après le mouvement de panique qui les avait séparés à Bacongo, Ya Samba et sa famille s'étaient retrouvés non loin du centre sportif de Makelekele, dans le premier arrondissement de Brazzaville. Mais un affrontement entre les Nsiloulous et des policiers éclata au même moment ; les obligeant ainsi à aller se réfugier à l'intérieur du complexe sportif. Vinrent ensuite les bombardements, auxquels ils eurent la chance de réchapper. Après quoi, ils furent contraints par les forces gouvernementales d'emprunter le « Couloir de la mort », sur l'avenue de l'Organisation de l'Unité Africaine ; où ils eurent là aussi la bonne fortune de ne subir aucune agression, malgré les multiples atrocités qui y furent perpétrées. Toute la famille était en bonne santé, et résidait dorénavant dans le quartier « Plateau des 15 ans », où elle avait trouvé une petite maison en location. Les parents, qui étaient fonctionnaires, avaient très vite été affectés à de nouveaux postes ; et ses deux frères étaient scolarisés dans une école de Moungali, le quatrième arrondissement de Brazzaville.

Kouka et Cyr allèrent trouver Antoine avant son départ, car le village de Matsoula où il logeait temporairement n'était pas très éloigné de Mbandza-Ndounga. Kouka lui confia une longue lettre, adressée à ses parents. Il avait eu toutes les peines du monde à la débuter, tant les émotions qui le submergeaient étaient intenses. Il finit par prendre la chose par le bon bout. Tout d'abord, il leur fit part de sa joie démesurée de les savoir en vie. Et après leur avoir conté les vicissitudes, auxquelles il s'était confronté depuis son départ précipité de Brazzaville ; il les rassura, et leur dit qu'il n'avait pas à se plaindre, concernant ses conditions de vie au village. Certes, manger quotidiennement de la nourriture sans sel, dormir dans une case sur une natte posée à même le sol, et être privé d'électricité durant plusieurs mois « c'est un truc de ouf, je vous dis pas ! » Néanmoins, c'était toujours mieux que de vivre dans les camps de déplacés, qui s'étaient répandus un peu partout, et qui étaient devenus de véritables foyers de contagion, pour maladies graves. Concernant ce dernier aspect, qui retiendrait à n'en pas douter l'attention de sa chère mère, laquelle était, de l'aveu d'Antoine, en pleine dépression depuis leur séparation ; Kouka voulut également se montrer rassurant. N'eût été la fièvre passagère, qu'il avait contractée tout au début de l'année, déclara-t-il dans sa lettre, il pouvait amplement se targuer d'avoir un système immunitaire à toute épreuve. Pour finir, il leur promit que très bientôt, ils seraient de nouveau réunis. Car maintenant qu'il savait que le voyage était faisable, il caressait vivement l'espoir, de fuir incessamment cette prison à ciel ouvert ; dans laquelle il était enfermé, et où le temps semblait s'être figé. Il remuerait ciel et terre pour y arriver, même si Antoine lui avait fait comprendre, par souci d'honnêteté, que la partie n'était pas gagnée d'avance. Cyr nourrissait également le même projet. Il en avait marre de cette vie médiocre, et de cette guerre. Mais pour l'heure, deux choses l'empêchaient de réaliser ce projet de départ : son frère au premier chef, qui se refusait toujours à le laisser s'en aller, et par-dessus tout son père. Car il ne concevait pas de partir à Brazzaville sans ce dernier. Il se laissa un temps de réflexion de quelques jours ; mais il savait d'ores et déjà que cela passerait par une confrontation avec Capi. Kouka, de son côté, se heurta au refus de Tâ Louzolo, qui considérait qu'un tel voyage était hasardeux et, qu'il fallait absolument peser le pour et le contre avant de s'y jeter à corps perdu. Par déférence, pour celui que tout le monde appelait affectueusement « le vieux », Kouka décida de prendre son mal en patience.

***

À l'état-major, la dernière débâcle avait sérieusement entamé le moral des troupes. La plupart des visages étaient dépités, et le doute commençait à s'installer dans les cœurs. Bien entendu, on se gardait de le faire paraître, pour ne pas provoquer l'ire de Capi. Ce dernier avait dépêché Makila et Victor auprès de Tâ Tchûla, pour recueillir de nouvelles instructions, et aussi, lui faire part de certaines propositions, dont celle de requérir l'aide des Cocoyes. Ces miliciens, fidèles à l'ancien président de la République en exil, surnommé le Professeur, arpentaient les régions du Niari, de la Bouenza et de la Lékoumou, dans le sud-ouest du pays. Pour diverses raisons, Capi considérait qu'ils pouvaient être des partenaires de choix dans cette guerre. Premièrement, c'étaient eux aussi des sudistes. Ensuite, ils étaient rompus à l'art du combat et disposaient de beaucoup d'armes et de munitions. Et enfin, tout comme les Nsiloulous, ils avaient maille à partir avec le pouvoir de Brazzaville. Cette proposition, Capi l'avait déjà formulée dans le passé, mais il avait essuyé une rebuffade de la part de Tâ Tchûla qui, pour des raisons connues de lui seul, faisait obstacle à tout rapprochement avec les Cocoyes. Cependant, depuis quelques mois le contexte n'était plus le même. Les Nsiloulous collectionnaient les défaites, et leurs forces s'amenuisaient comme peau de chagrin ; en conséquence, former une coalition de groupes armés devenait inéluctable. C'était aux yeux de Capi, le seul moyen de faire mordre la poussière aux forces gouvernementales. Et si d'aventure Tâ Tchûla continuait de faire des difficultés, il n'excluait pas d'aller le trouver en personne, pour faire valoir ses arguments.

Et en attendant le retour de ses deux émissaires, il s'employa de vive force à renouveler ses effectifs qui avaient baissé drastiquement. Il effectua de véritables battues dans les villages de la région, enrôlant contre leur gré des hommes, mais également de jeunes enfants. Ces derniers furent les premiers enfants soldats de ce conflit. Ils avaient pour la plupart entre huit et douze ans. Et vu qu'ils ne comprenaient rien à cette guerre, on leur faisait fumer du chanvre ; ce qui les rendait agressifs au possible. Ils devaient pour la plupart, servir de chair à canon durant les affrontements à venir.

Ces recrutements forcés étaient effectués par Capi et ses hommes, avec une froideur déconcertante. Ceux qui regimbaient étaient passés par les armes, ou se voyaient administrer la très redoutée gifle de Saint-Michel. Au bout du compte, ce furent près d'une centaine de personnes, parmi lesquels on retrouva quantité de déplacés, qui vinrent agrandir le régiment de Capi. Ces nouvelles recrues furent très vite mises en condition, et on commença leur formation ; c'est-à-dire qu'on leur montra comment tenir une Kalachnikov dans les mains, et faire feu, rien de plus. Il leur fut également demandé de prêter serment, et de se soumettre à la volonté de Saint-Michel, patron de cette rébellion. Fort aise de ce résultat, Capi était dès lors disposé à repartir au front.

C'est durant cette période, qu'un singulier personnage débarqua à Mbandza-Ndounga. Il arriva un beau matin, et demanda à parler à Capi. Cet homme qui était élancé, athlétique et semblait être proche de la quarantaine était vêtu assez simplement. Il portait une paire de baskets noires, un pantacourt, un tee-shirt blanc et un très gros sac à dos. Cyr, qui venait de se lever, le vit se faire escorter jusqu'à la tente de son frère. Le visiteur était plutôt présentable, rasé de près et ne ressemblait pas à un rebelle ; pourtant – et ce fut le détail qui interpella Cyr –, les Nsiloulous qui l'accompagnaient semblaient fort bien le connaître. Il le traitait même avec déférence. Capi, qui avait été prévenu par ses hommes, sortit de sa tente avec empressement. Lorsqu'il reconnut le visiteur, il se jeta dans ses bras. Il ne faisait aucun doute que les deux hommes se connaissaient et, à en juger par leur accolade, ils étaient même très proches. Cyr était davantage intrigué. Il voulut en savoir plus. Il alla donc trouver les cinq gardes, qui avaient escorté le mystérieux visiteur, et leur posa directement la question :

« Attendez !

— Qu'est-ce que tu veux, Cyr ? demanda l'un d'eux.

— J'avais une question à vous poser.

— On t'écoute.

— Vous aviez l'air de bien connaître, le gars qui est venu voir mon frère. Vous pouvez me dire qui c'est ?

— Tu ne le connais pas ? fit le garde d'un air ébahi. »

Il se tourna vers ses comparses qui ricanaient.

« Non, répliqua sèchement Cyr. Sinon, tu penses que je t'aurais posé la question ?

— Du calme fit l'autre. On ne voulait pas te manquer de respect. Mais comme tu es le petit frère du chef, on pensait que tu savais. C'est un ancien commandant Ninja. Il était au service de l'ancien Premier ministre, jusqu'à la fin de la guerre de 97.

— Ah bon ? Et quel est son nom ?

— C'est le commandant Ngo Mbulu. »

Cyr tressaillit. À plusieurs reprises dans le passé, il avait entendu son frère, mais aussi les habitants du quartier, parler de cet homme : Ngo Mbulu. C'était un pilier de la milice Ninja, réputé pour ses faits d'armes et sa cruauté. À l'instar de nombre de ses compagnons, il était porté disparu depuis la fin de la guerre. D'aucuns disaient qu'il avait suivi son chef dans sa fuite à l'étranger, les autres disaient qu'il était mort. Que venait-il faire à Mbandza-Ndounga ? se questionna Cyr. Avait-il l'intention de reprendre du service et de se joindre à Capi ?

Les deux hommes allèrent discuter sous la tente de Capi, et cela éveilla la curiosité de Cyr ; lequel décida de faire une chose, qui ne lui serait jamais venue à l'esprit dans le passé. Il alla les espionner, pour écouter ce qu'ils avaient à se dire. Il se faufila furtivement derrière la tente ; laquelle était dressée au pied d'un grand arbre. Il se positionna de manière à ne pas être vu, par les autres rebelles qui déambulaient dans le campement. Puis il approcha son oreille, et entendit tout de suite une voix, celle de Capi. Il semblait très en colère.

« Non, fulminait-il, je refuse de t'écouter. Je t'ai toujours considéré comme un frère, mais là tu dépasses les limites.

— C'est pourtant vrai Capi. Cet homme te mène en bateau depuis le début.

— En te voyant arriver, poursuivit Capi, je pensais que tu venais te joindre à nous. Et au lieu de ça, tu viens me parler en mal de Tâ Tchûla. On appelle ça comploter ! »

Le seigneur de guerre se rendit compte qu'il avait haussé la voix, et que les Nsiloulous présents au-dehors pouvaient l'entendre. Il se tut aussitôt. Cyr retenait son souffle. Il réalisa très vite que cette discussion entre ces deux hommes était grave, et qu'elle pouvait avoir de très lourdes conséquences, pour l'un comme pour l'autre. L'espace d'un instant, il regretta presque d'avoir voulu les espionner. D'une voix calme, Ngo Mbulu reprit la parole. Il expliqua à Capi qu'au sortir de la guerre du 5 juin 97, il avait bourlingué à travers l'Afrique de l'Ouest, notamment au Bénin, au Sénégal et au Ghana ; pour voir si l'herbe y était plus verte. Il y avait noué pas mal de contacts. Après cela, il était allé définitivement poser ses bagages à Kinshasa, afin disait-il, de garder un œil sur la situation qui régnait à Brazzaville. Quelques mois plus tard, au tout début de l'année 1998, il apprit qu'une rébellion avait vu le jour dans le Pool, et que quelques-uns de ses frères d'armes, Yogoshi, Capi et Pistolet y prenaient part. Il mourrait d'envie de venir leur prêter main-forte, dans cette nouvelle bataille ; mais il lui fallait avant toute chose, trouver de l'argent pour réaliser le voyage. Il ne put régler ce problème pécuniaire, qu'en début d'année 1999 ; après quoi, il partit pour le Pool, en passant, comme l'avait fait Antoine par le Bas-Congo. Durant son voyage, il apprit que Capi se trouvait dorénavant à Mbandza-Ndounga, où il avait établi son état-major ; tandis que Yogoshi et Pistolet erraient entre Kinkala et Mindouli. Il décida en premier lieu d'aller trouver Tâ Tchûla ; cet homme intrigant, sorti de nulle part, qui avait dévoyé la milice Ninja de l'ancien Premier ministre, et l'avait transformé en une secte acquise à

Saint-Michel. Depuis Kinshasa, Ngo Mbulu avait tenté de collecter des informations sur lui ; mais ces recherches furent infructueuses.

Il arriva de manière clandestine dans le district de Kindamba. Il se rapprocha du chef du village, qu'on disait viscéralement opposé aux idées de Tâ Tchûla. Deux jours durant, il échangea avec lui, notant soigneusement dans un carnet toutes les informations qu'il récoltait. Il découvrit ainsi que Tâ Tchûla, était à l'origine un employé d'une clinique psychiatrique de Brazzaville. Au sortir de la guerre, il débarqua à Kindamba, où il créa du jour au lendemain, une de ces « églises de réveil » qui foisonnaient dans le pays. Le genre d'endroits, où l'on est souvent placé sous la férule d'un individu véreux, qui s'octroie le statut de pasteur, et exerce un ascendant sur ses ouailles. Il installa cette église en bordure de la forêt de Bangou, et ses premiers fidèles furent des malades mentaux, qu'il avait ramenés en nombre de Brazzaville, et qu'il prétendait avoir guéris ; ce qui attisa grandement la curiosité des habitants de la région. Plus tard, il prétendit avoir reçu une révélation divine, et alla trouver les quelques cadres de la milice Ninja qu'il avait repérés dans le Pool.

C'est de cette manière qu'il rencontra Capi, Yogoshi et Pistolet. Il leur fit savoir que l'archange Saint-Michel les avait choisis, pour devenir ses bras armés, les Nsiloulous. Les trois hommes qui, depuis quelques mois, jouaient au chat et à la souris avec les autorités congolaises, trouvèrent du réconfort auprès de lui, et courbèrent l'échine. Tâ Tchûla leur imposa alors le port du bandeau violet, et leur fournit tout un arsenal d'amulettes, censées les rendre invulnérables. Dès lors, ces trois fugitifs affichèrent une dévotion sans bornes, à l'égard de leur nouveau protecteur. Grâce à eux, quantité d'anciens Ninjas, également réfugiés dans le Pool, rejoignirent le mouvement. Une ribambelle de villageois, que Tâ Tchûla avait réussi à séduire, par son discours spirituel et sibyllin, se joignirent également à cette cause.

Dans cette région, où les gens étaient fortement attachés aux croyances mystiques, et au messianisme ; Tâ Tchûla fut tout de suite considéré comme un homme providentiel, et n'eut guère de mal à asseoir son emprise sur ses nombreux sympathisants. On le couvrait continuellement d'éloges, et on citait son nom à côté de personnages d'antan tels que : Mabiala Ma Nganga, Boueta Mbongo, Mbiemo, ou encore André Grenard Matsoua. Tous, avaient à leur manière, marqué l'histoire du pays, notamment durant la période de la colonisation. Au bout de quelques mois, il disposa d'un véritable bataillon. Il ne lui manquait plus qu'à trouver plus d'armes, car même si les Ninjas qui avaient rejoint ses rangs en possédaient, elles étaient de toute évidence insuffisantes, pour la bataille qu'ils s'apprêtaient à livrer. C'est cet ultime détail, qui fit naître le doute dans l'esprit de Ngo Mbulu.

Toujours selon de prétendues révélations divines, Tâ Tchûla indiqua à Capi et ses compagnons d'infortune, des lieux, où disait-il, Dieu avait déposé une flopée d'armes. Ils se rendirent en toute hâte aux endroits indiqués, et furent surpris d'y trouver, enfouis dans le sol, des armes, mais également des munitions. C'était à leurs yeux, une preuve irréfutable que cet homme était bel et bien un envoyé du ciel. Mais Ngo Mbulu, qui avait toujours été quelqu'un de rationnel, refusa avec la dernière énergie de croire une seule seconde, que Tâ Tchûla fût un nécromancien ou même un homme de Dieu. Il rejeta en bloc toutes ces élucubrations, et commença à se questionner sérieusement sur les agissements de cet étrange personnage.

Comment celui-ci avait-il su que des armes se trouvaient à ces différents endroits ? Car il était clair qu'elles n'étaient pas le fait du Saint-Esprit ni d'une quelconque divinité. De plus, comment Tâ Tchûla avait-il pu se constituer une armée, sans que Brazzaville ne daignât lever le petit doigt ? Et pour conclure : comment avec l'arsenal militaire dont disposait le pouvoir, qui au demeurant était épaulé par les soldats angolais, Tâ Tchûla n'avait-il jamais été appréhendé ? Pour Ngo Mbulu, il n'y avait pas l'ombre d'un doute, cet homme n'était qu'un imposteur. Et même s'il ne pouvait pas le prouver, car il lui manquait encore un certain nombre de preuves, il le soupçonnait d'agir de connivence avec le pouvoir de Brazzaville ; autrement dit, de travailler pour le compte du président de la République en personne.

Cyr, qui continuait d'écouter ce récit époustouflant, sentit des frissons parcourir son corps. Son cœur s'emballait. Une grande part du mystère, qui entourait Tâ Tchûla venait de voler en éclats, car les informations de Ngo Mbulu étaient non seulement précises, mais également cohérentes. Cyr souscrivit à la thèse selon laquelle, l'instigateur de cette rébellion, n'était nullement celui qu'il disait être. Ce qui revenait à dire que son frère ainsi que l'ensemble des Nsiloulous étaient manipulés depuis le début de ce conflit.

Capi reprit subitement la parole. Sa voix était plus calme, on eût dit qu'il avait digéré toutes les informations qu'il venait d'entendre.

« As-tu rencontré Tâ Tchûla ?

— Bien sûr ! Après avoir terminé mon enquête auprès du chef de village, je suis tout de suite allé le trouver. Il n'était pas surpris de me voir, il disait même qu'il attendait impatiemment mon arrivée. Je pense plutôt que ses espions avaient bien fait leur boulot. D'après lui, ma place était avec les Nsiloulous. Ce jour-là, je lui avais posé pas mal de questions sur la stratégie d'attaque, car toutes les tentatives pour faire tomber Brazzaville avaient échoué. Il m'avait répondu que, Saint-Michel n'abandonnait pas ses soldats. Quelle connerie ! J'ai compris qu'il n'avait aucun plan, en réalité. Je lui ai dit qu'avant de donner ma réponse, j'avais besoin de m'entretenir avec mes anciens frères d'armes. Il m'a dit qu'il était d'accord, et qu'il attendrait mon retour, impatiemment. Je suis donc allé trouver Pistolet et Yogoshi, et aujourd'hui je suis devant toi.

— Et qu'est-ce qu'ils t'ont dit ?

— Ils sont un peu comme toi ! Ils pensent que je raconte des histoires. Mais vous savez très bien que j'ai raison. Écoute Capi, je retourne à Kinshasa dès aujourd'hui, je ne compte pas retourner voir Tâ Tchûla, car cette guerre comme je te l'ai dit ne me concerne pas. Je pense avoir joué mon rôle de frère, en vous mettant tous en garde contre lui. C'est à vous de faire le bon choix, maintenant. Adieu, mon frère. »

Sans attendre la réponse de Capi, Ngo Mbulu sortit de la tente. Cyr qui demeurait caché derrière était complètement désarçonné par ce qu'il venait d'entendre. Il mourrait d'envie d'aller le raconter à Kouka.

« Ngo Mbulu, attends ! »

C'était la voix de Capi, qui sortait à son tour de la tente. « J'ai encore le droit de raccompagner un frère, que je sache ! »

En voyant apparaître leur chef, tous les rebelles du campement se mirent au garde-à-vous, et l'escortèrent jusqu'à l'entrée de la concession, car Capi ne marchait jamais seul. Cyr profita de ce remous pour s'éclipser.

XXIII

Il fallut plusieurs minutes à Kouka, pour digérer les informations explosives que Cyr venait de lui livrer. À ses yeux, cela dépassait l'entendement.

« Tu es sûr d'avoir bien entendu ? demanda-t-il avec insistance.

— À cent pour cent Masta, répondit Cyr. Ngo Mbulu a tout déballé à mon frère. Et je pense qu'il a dit la vérité. »

Il s'interrompit, jeta un regard autour de lui et, aborda à voix basse la partie la plus délicate ; celle ayant trait aux soupçons de connivence, entre Tâ Tchûla et le président de la République. Bien que Ngo Mbulu affirmât ne pas avoir de preuves solides, pour corroborer ses dires, c'était d'après Cyr, une hypothèse à ne pas écarter. Et si elle s'avérait exacte : quel était alors le véritable but de cette guerre, qui avait sacrifié les vies de tant de personnes ? demanda-t-il à Kouka. Quoi qu'il en soit, beaucoup de choses étaient dorénavant remises en question. Cyr ajouta que son frère, à en juger par sa voix, mais aussi les questions qu'il avait posées à Ngo Mbulu, semblait vraiment avoir été déstabilisé. « C'est un sacré bordel ! » fit Kouka en soupirant.

Depuis leurs retrouvailles, Capi ne manifestait aucune marque d'affection à l'égard de son jeune frère, ne lui adressant presque jamais la parole. Lorsque cela se produisait, il était laconique et glacial, comme s'il eût eu affaire à un vulgaire inconnu. D'abord heurté par cette étrange attitude, Cyr avait fini par s'en accommoder. Il avait compris que le comportement de son frère avait été altéré par l'obscurantisme dans lequel il baignait, depuis qu'il était aux côtés de Tâ Tchûla. Or, peu de temps après le départ de Ngo Mbulu, une chose assez rare pour être soulignée se produisit : Capi le fit venir.

« Tu as demandé à me voir ? dit Cyr qui pénétrait dans la tente.

— Assieds-toi, lui répondit son frère, sur un ton martial. »

Le torse nu, la tête ceinte de son bandeau violet, le seigneur de guerre était assis en tailleur sur une natte. Une Kalachnikov était posée à ses pieds. Cyr, que la vue des armes à feu n'effrayait plus depuis fort longtemps, vint s'asseoir en face de lui et le regarda droit dans les yeux. Capi lui annonça d'entrée de jeu qu'il devait s'absenter pour quelques jours, car Tâ Tchûla avait convoqué un conseil de guerre à Kindamba. Tous ses bras droits étaient contraints d'y prendre part. Et une fois ce conseil terminé, ils partiraient tous ensemble au front.

Cyr l'écoutait sans sourciller, mais en même temps, il ne pouvait s'empêcher de se questionner au fond de lui. Qu'est-ce qui pouvait expliquer, un changement si soudain dans l'attitude de son frère ? Lui qui était si distant d'ordinaire, ce jour-là, semblait différent. À dire vrai, il paraissait presque être redevenu humain, car il se confiait à son petit frère ; chose qu'il n'avait jamais faite depuis leur arrivée dans le Pool. Capi se retourna, et attrapa un sac qui se trouvait sur sa droite. Il en tira une grosse enveloppe qu'il tendit à Cyr.

« J'emmène une bonne partie de mes hommes avec moi, dit-il, mais aussi toutes les nouvelles recrues. Après mon départ, je veux que tu partes rejoindre papa à Loumo.

— Hein ? fit Cyr. Mais pourquoi ? Que se passe-t-il ?

— Ne commence pas à faire l'enfant, grogna Capi, et obéis !
Il me semble que tu voulais le revoir. Je me trompe ? »

Cette fois-ci, Cyr fut réellement convaincu que quelque chose
n'allait pas. Comment expliquer, dans le cas contraire, que son
frère lui donnât finalement son approbation pour aller rejoindre
son père à Loumo ? Une chose qui était jusque-là inimaginable.
Capi lui fit savoir que, l'enveloppe qu'il venait de lui donner
contenait une importante somme d'argent. Il pourrait l'utiliser,
le cas échéant, pour veiller sur leur père. À ces mots, il le
congédia : « Maintenant, sors d'ici ! Je dois m'apprêter pour le
départ. »

Le chef de guerre et ses troupes levèrent le camp dans l'heure
qui suivit. On devait être aux environs de dix heures du matin. Il
ne resta plus qu'une dizaine de Nsiloulous, pour veiller sur
l'état-major. Ce départ soudain interpella tout le monde, et
alimenta les discussions durant toute la journée. Cyr qui depuis
des mois, semblait s'être accoutumé à ces multiples séparations
avec son frère fut cette fois-ci saisi par une forte angoisse. Assis
sur une natte, il considérait l'enveloppe que Capi lui avait
donnée, après lui avoir intimé l'ordre de quitter Mbandza-
Ndounga. Il avait conscience que cela n'avait rien d'anodin.

Et même si, durant leur courte entrevue, son grand frère avait
comme à son habitude fait en sorte de masquer ses émotions,
Cyr avait toutefois pu percevoir dans son regard, quelque chose
d'inédit ; quelque chose qui ressemblait à s'y méprendre à de la
peur. Il se prit à repenser à Ngo Mbulu, lequel avait débarqué
inopinément à Mbandza-Ndounga, porteur de nouvelles peu ou
prou troublantes. Cet ancien milicien Ninja, avait
incontestablement déstabilisé le valeureux Capi ; peut-être

même qu'il lui avait ôté le voile, qui jusqu'à présent obscurcissait son jugement.

***

Trois jours s'étaient écoulés depuis le départ de Capi. Des rumeurs disaient que les hostilités avaient repris au front, et que, Tâ Tchûla en personne y prenait part. Cyr, quant à lui, était toujours en proie à l'indécision, ne sachant s'il devait partir ou rester. Tâ Louzolo lui fit comprendre qu'il pouvait demeurer à Mbandza-Ndounga, autant de temps qu'il le voudrait. Et cette proposition rasséréna énormément le jeune homme, mais aussi Kouka qui, égoïstement, n'avait pas envie de laisser partir, celui qu'il considérait comme un frère. Mais une nouvelle vint bouleverser toute l'organisation de la famille, impliquant de prendre des résolutions urgentes. Ce jour-là, Kouka qui venait de se lever fut appelé par Tâ Louzolo, lequel était déjà installé dans la paillote avec oncle Marcel et son épouse. Il exigea que Cyr fût également associé à leur conciliabule. Quand tout le monde fut réuni autour de lui, il se racla la gorge et prit la parole d'une voix solennelle :

« Mes enfants ! dit-il à l'adresse de Kouka et Cyr. Comme vous le savez, la guerre se poursuit. Et à part Dieu, personne ne sait quand elle prendra fin. Depuis des mois, nous faisons en sorte de survivre, mais à ce rythme, nous serons soit emportés par les maladies, soit par la famine. Et en tant que chef de famille, il y a des risques que je ne peux pas me permettre de prendre. Nous savons qu'à Brazzaville les choses se passent à peu près normalement, à Pointe-Noire aussi. Et nous savons depuis quelque temps qu'il est possible de gagner la capitale en passant par Mbelo et les villages avoisinants. J'ai donc réuni un peu d'argent, et je le mets à votre disposition, pour que vous partiez pour Brazzaville en passant par la RDC. »

Kouka, qui par respect, ne pouvait se permettre d'interrompre le patriarche, se contenta de le regarder d'un air stupéfait. Tâ Louzolo s'en aperçut, et sourit.

« Je sais que tu es surpris, mon fils, fit-il sur un ton bienveillant, et que tu te demandes pourquoi je change d'avis.

— Oui, dit timidement Kouka. Car jusqu'à présent, tu ne voulais pas entendre parler de ce voyage.

— C'est exact, poursuivit le vieil homme, mais vu que notre famille va s'agrandir, je suis obligé de revoir mon jugement.

— S'agrandir ? s'étonna Kouka. Mais de quoi parles-tu ?

— De ton futur cousin, ou de ta cousine, en fait je ne sais pas encore. »

C'était tante Esther, qui cette fois-ci venait de prendre la parole. Kouka, qui avait compris à quoi elle faisait allusion, se retourna vivement et jeta sur elle un regard scrutateur. Le ventre n'était pas encore saillant, mais on voyait très bien qu'un changement était en train de s'opérer en elle. Car malgré la déplorable situation alimentaire, un léger embonpoint commençait à se former. Sa tante était enceinte. Il laissa exploser sa joie. Cyr qui était resté silencieux depuis le début manifesta également un fort enthousiasme. Mais Tâ Louzolo stoppa net ces effusions : « On aura tout le temps de faire la fête, dit-il. Le bébé ne sera là que dans quelques mois. » Pour l'heure, ajouta le vieil homme, il fallait avant toute chose, régler les conditions du voyage. Car tante Esther devait de toute urgence être prise en charge dans un vrai hôpital. Sinon on pouvait craindre le pire, pour le bébé. Il fut décidé qu'oncle Marcel, sa femme et bien sûr Kouka partiraient la semaine d'après. En dépit de l'insistance de son fils, Tâ Louzolo refusa obstinément de faire partie du voyage, car il avait charge d'âme. En effet, sa concession était encore pleine de gens de sa famille, tous venus de Brazzaville. En sa qualité de chef de famille et de notable, il était bien évidemment hors de question qu'il les abandonnât. Il ne manquait plus qu'à régler la question de Cyr, qui avec le départ imminent de Kouka, et l'absence de Capi qui s'éternisait outre mesure, ne voyait guère d'intérêt à demeurer à Mbandza-Ndounga. Il finit par se résoudre à partir, le même jour que les trois autres. Il ferait un bout de chemin avec eux, puis il bifurquerait sur la route menant à Loumo.

Deux jours avant la date fixée pour le départ, la famille qui avait terminé le souper était réunie autour du feu, au milieu de la cour. Il devait être environ vingt-trois heures. C'était une nuit calme, constellée d'étoiles, et tout le monde profitait de l'air qui s'était fortement rafraîchi. Les quelques Nsiloulous, restés à l'état-major, qui depuis le départ de Capi étaient tombés dans la torpeur et l'oisiveté, s'étaient tous couchés de bonne heure. Aucune garde n'était donc assurée à l'entrée de la concession. Ce jour-là, personne ne voulut parler de politique, de guerre ou de quelque chose de négatif. On se contenta d'écouter Tâ Louzolo, qui racontait une de ces formidables histoires, dont il avait le secret. Ce fut à ce moment-là qu'on vit débarquer à l'improviste trois hommes en armes, dont les visages étaient dissimulés sous des cagoules. Ils arrivaient de la grand-route. Cyr, qui habitait avec des rebelles depuis plusieurs mois ; fut le seul à ne pas prendre peur. Il se leva, et apostropha aussitôt les trois inconnus :

« Qui êtes-vous ? dit-il d'un ton autoritaire. Et pourquoi cachez-vous vos visages ?

204

— Ce n'est que moi Cyr, dit l'un des hommes, qui s'était approché du feu pour être mieux visible, et avait ôté sa cagoule.

— Victor ! s'écria aussitôt Cyr. »

Tout le monde fut rassuré, de savoir qu'il ne s'agissait que du bras droit de Capi. Cyr lui demanda ce qu'il venait faire à Mbandza-Ndounga, lui qui était censé être au front avec les autres Nsiloulous. Victor promit de tout expliquer, mais il préféra le faire à l'abri des regards. Il demanda à Tâ Louzolo, l'autorisation d'utiliser sa case. « Nous serons plus à l'aise à l'intérieur, dit-il. Et je veux que tu écoutes également ce que j'ai à dire. » La réponse du vieil homme ne se fit guère attendre. Il emmena Victor, mais également son fils Marcel, Kouka et Cyr, dans sa modeste demeure. Tante Esther préféra rester autour du feu, avec les autres membres de la famille. Son époux promit de tout lui raconter, une fois qu'ils auraient terminé. Comme il allait pénétrer à l'intérieur de la case, Victor s'adressa aux deux hommes qui l'accompagnaient : « Vous deux, faites comme on a dit ! » Ils hochèrent la tête, s'engouffrèrent aussitôt dans l'obscurité, et se dirigèrent vers l'état-major, où les autres Nsiloulous dormaient d'un sommeil de plomb. Victor ferma ensuite les deux fenêtres, et verrouilla hermétiquement la porte.

« Maintenant, dis-nous ce qui se passe ! dit Cyr qui piaffait d'impatience. Et pourquoi mon frère n'est pas encore rentré ?

Victor fit mine de ne pas l'entendre, et continua de s'assurer que la case était complètement verrouillée. Puis il le fixa droit dans les yeux, et lui annonça sans prendre de gants, que Capi était mort.

XXIV

Cyr crut que Victor déraisonnait, ou qu'il s'agissait d'une plaisanterie de mauvais goût ; mais le visage froid et impassible du Nsiloulou lui fit très vite prendre conscience que le fait était avéré. Kouka se leva aussitôt pour prendre son ami dans ses bras. Tâ Louzolo et oncle Marcel demeurèrent silencieux. Malgré la douleur qui le rongeait, Cyr ne poussa aucun cri dans un premier temps ; il avait toutefois la gorge nouée, et des larmes coulaient sur son visage. Bien qu'il s'échinât à occulter cette fatalité, en son for intérieur, il avait toujours su que les choses se finiraient d'une manière aussi tragique. Au bout de quelques secondes, il finit par éclater en sanglots. Victor reprit la parole, et lui dit d'une voix ferme, dénuée d'empathie : « Tu pleureras ton frère, plus tard. Moi non plus, je n'ai pas encore fait son deuil. Il faut d'abord que je t'explique tout, car les autres seront bientôt là. » Cyr, intrigué, interrompit ses pleurs ; néanmoins, il continua de garder le silence. Kouka prit le relais, et se mit à presser Victor de questions. Qu'était-il arrivé à Capi ? Qui étaient « les autres » auxquels il faisait allusion ?

Victor répliqua, là aussi sans y mettre la forme, que Capi avait été tué lors d'une embuscade tendue par des Nsiloulous, placés sous la férule de Makila. Bien entendu, tout cela n'avait été possible qu'avec la bénédiction de Tâ Tchûla.

« Quoi ? s'écria Cyr, qui avait retrouvé l'usage de la parole. Mon frère n'est pas mort au front ? »

— Non ! répondit Victor. »

On allait de surprise en surprise. Tâ Louzolo, bien qu'atterré par ce récit, faisait montre d'une parfaite maîtrise de soi. La force de l'habitude, pensa Kouka. Quoi de plus normal après tout, pour quelqu'un de son âge. Le vieil homme demanda à Victor de leur raconter, dans les moindres détails, comment les choses s'étaient déroulées. Le Nsiloulou y consentit. Il laissa entendre que l'arrivée de Ngo Mbulu avait littéralement précipité les choses. En prenant langue avec Capi, mais aussi avec Yogoshi et Pistolet, il avait tout simplement signé leur arrêt de mort. Cyr ne disait mot, mais l'expression de son visage trahissait amplement son effarement. Victor qui ne le lâchait pas du regard s'en rendit compte. « Tu as très bien compris ! fit-il. Yogoshi et Pistolet sont morts, également. » Il ajouta que, Makila avait procédé de la même manière pour les abattre. Ils étaient eux aussi tombés dans un traquenard, sur le chemin qui les menait à ce prétendu conseil de guerre. Ça s'était passé deux jours avant l'assassinat de Capi.

« Mais où tu étais pendant tout ce temps ? finit par demander Cyr. Et pourquoi tu n'as pas cherché à prévenir mon frère ?

— J'étais à Kindamba. Tâ Tchûla m'avait ordonné d'attendre l'arrivée de Capi, afin que je puisse partir avec lui au front. Mais les choses ont dégénéré entre-temps, et je n'ai rien pu faire. »

Victor leur narra une histoire assez déconcertante. Tout avait commencé un soir, alors qu'il se trouvait encore à Kindamba. Un Nsiloulou qui le tenait en grande estime était venu le trouver. Cet homme, qui était l'un des cuisiniers de Tâ Tchûla, avait surpris les bribes d'une conversation secrète, entre celui-ci et Makila. Ils parlaient de Ngo Mbulu. Tâ Tchûla, qui pensait que l'ancien Ninja allait rejoindre son mouvement, venait d'apprendre qu'au lieu de ça, il était retourné à Kinshasa. Il rentra aussitôt dans une fureur noire, suspectant Capi, Yogoshi et Pistolet d'ourdir un complot contre sa personne.

« Je veux que tu t'occupes d'eux, avait-il dit à Makila, sur un ton impérieux. Telle est la volonté de Saint-Michel. » Le cuisinier de Tâ Tchûla en informa aussitôt Victor. Il lui dit que s'il tenait à rester en vie, il devait nécessairement quitter Kindamba. Car en tant que bras droit de Capi, il ferait inévitablement partie des prochaines victimes. Victor décida de prendre la poudre d'escampette. Son bienfaiteur le renseigna également, sur l'endroit où devait avoir lieu l'embuscade. Il partit ainsi avec deux hommes, en qui il avait une confiance absolue, espérant arriver à temps pour prévenir son chef. Mais étant donné qu'ils voyageaient à pied, contrairement à Makila, les trois hommes perdirent énormément de temps. Quand ils arrivèrent sur le lieu de l'embuscade, Capi avait déjà été assassiné, et sa dépouille avait été emportée par Makila et ses hommes. Victor comprit que c'était une exigence de Tâ Tchûla, qui aimait contempler les dépouilles de ses victimes, et les utilisait parfois dans certaines de ses pratiques occultes. Ils trouvèrent sur le lieu de l'embuscade un Nsiloulou moribond, qui leur raconta comment les choses s'étaient passées. Après quoi, ils partirent pour Mbandza-Ndounga.

Cyr était anéanti. Ainsi donc, son frère n'était pas mort les armes à la main. Une sourde colère commençait à l'envahir. Il serra les poings.

« Qu'est-ce que je dois faire maintenant ? demanda-t-il d'une voix tremblotante.

— Fuir, fit Victor. Et sans perdre de temps. Car d'après les informations que j'ai, Makila sera là avant le lever du jour, car il voyage de nuit. C'est lui qui prend dorénavant la place de Capi, comme seigneur de guerre. Il va vouloir nous tuer tous les deux, car il pense que nous en savons trop, même si, j'ignore ce que Ngo Mbulu a bien pu raconter à Capi. »

Son regard, qui était à la fois menaçant et soupçonneux, se posa sur Cyr. Puis il ajouta : « Mais c'est forcément grave. Sinon Tâ Tchûla n'aurait jamais ordonné l'exécution de ses trois plus braves soldats. Tu ne penses pas ? » Cyr voulut tout lui raconter, car il avait espionné son frère durant son tête-à-tête avec Ngo Mbulu ; mais Kouka, qui avait anticipé la chose, lui donna un discret coup de coude. Il craignait que ce ne fût un piège tendu par Victor. À la réflexion, il était tout à fait probable qu'il eût reçu une mission de la part de Tâ Tchûla, et fût également impliqué dans la mort tragique de Capi. La circonspection était de mise. Cyr comprit le message. Il se ressaisit aussitôt.

« Moi non plus, je ne sais pas de quoi ils ont parlé, mentit-il. Tu sais bien que mon frère n'était pas du genre à se confier à moi.

— C'est vrai, répondit Victor, qui défronça aussitôt les sourcils. Maintenant activez-vous, nous devons partir, tout de suite. »

C'est à ce moment-là qu'oncle Marcel sortit de son mutisme. D'une voix balbutiante, il tenta de faire comprendre au Nsiloulou qu'un voyage était déjà prévu dans les deux jours à venir. Partir maintenant, compte tenu du temps de préparation requis, s'avérait impossible. Victor, qui de toute évidence ne cherchait pas de compromis, l'interrompit tout de suite. « Vous comptez partir où ? fit-il. À Brazzaville, j'imagine. » Pris de court, Oncle Marcel resta coi, et lui lança un regard inquiet. Victor se mit à sourire, et lui dit qu'il n'était pas nécessaire de le cacher. C'était un secret de polichinelle. Il était parfaitement au courant que des gens tentaient de rejoindre Brazzaville en catimini, depuis quelque temps. Il leur dit que si tel était leur projet, il ne les en empêcherait pas. Seulement, ils devaient s'en aller sur-le-champ.

« C'est maintenant ou jamais ! ajouta-t-il. Après il sera trop tard. Makila sera là d'ici quelques heures. Et il ne laissera personne, partir d'ici vivant. Ça je peux vous le garantir. Cyr, tu pars avec eux !

— Non, j'irai rejoindre mon père à Loumo.

— Ce n'était pas une question, lui répondit Victor avec impatience. Tu n'as pas l'air de comprendre. »

Il expliqua à Cyr que, lorsque Tâ Tchûla avait pris la décision de faire assassiner Capi, ainsi que les deux autres seigneurs de guerre, qu'il soupçonnait de trahison ; il avait également condamné tous leurs proches. Il procédait toujours de cette manière, lorsqu'il décidait de s'en prendre à de gens travaillant pour lui. Victor considérait maître Nzouzi comme un père. Mais il savait d'ores et déjà que celui-ci n'était plus de ce monde. Makila s'en était chargé personnellement. Il ne faisait jamais les choses à moitié. « Je préfère te prévenir, fit-il avec gravité. Tu es le prochain sur la liste. »

Cette fois-ci, Cyr fut près de s'évanouir. Sa vie tout entière venait de s'écrouler comme un château de cartes. Il se fit un moment de silence, durant lequel, le jeune homme sembla absorbé par quelque pensée. Personne n'osa lui dire quoi que ce soit. On préféra lui laisser le temps de bien encaisser le choc. Puis, au bout de quelques minutes, il releva la tête et dit avec résignation : « C'est d'accord. Je vais partir. » Victor lui répondit que c'était une très sage décision. Il avoua qu'il comptait faire de même, car il était dorénavant considéré comme un traître aux yeux de Tâ Tchûla. « Si je me fais choper, je suis mort ! » fit-il. Bien évidemment, il excluait de se rendre à Brazzaville. Compte tenu de son impressionnant curriculum vitae, il lui serait difficile de passer entre les gouttes. Il se ferait cueillir immanquablement, dès son arrivée au port. Il songeait plutôt à aller se réfugier aux environs de Boko. Quelques membres de sa famille y résidaient. Et si la situation venait à se gâter, il avait lui aussi la possibilité de passer de l'autre côté de la frontière, en République démocratique du Congo.

Victor dut soudainement s'interrompre, car quelqu'un frappait à la porte. Il s'empara prestement de sa Kalachnikov, qu'il avait posée sur le sol. Mais la tension retomba aussitôt. En effet, il s'agissait de ses deux compagnons. Tâ Louzolo leur ouvrit la porte. Ils avaient en leur possession les affaires de Cyr, qu'ils étaient allés subtiliser subrepticement à l'état-major. « C'est parfait, dit Victor. Nous partons d'ici une heure. »

On alla s'apprêter à la hâte, car c'était avant tout une question de vie ou de mort. D'abord décontenancée par toutes ces révélations, tante Esther finit par se résoudre à partir au pied levé. Au bout d'une heure, tout le monde se rassembla derechef dans la case de Tâ Louzolo, auquel Victor fit des recommandations bien précises. Il ne voulait décidément rien laisser au hasard :

« Quand Makila sera là, dit-il, il cherchera à savoir où est passé Cyr. Tu lui diras qu'il est parti rejoindre son père à Loumo. Vous n'êtes pas censé savoir que Capi est mort, donc il ne trouvera pas ça bizarre. Quant à ton fils, tu n'auras qu'à lui dire qu'il a préféré partir à Louingui, chez sa belle-famille. D'ici quelques jours, Tâ Tchûla fera courir le bruit que Capi, Yogoshi et Pistolet sont morts au front. Et Makila fera en sorte qu'on ne connaisse jamais la vérité. Sinon, ça risquera de faire peur à certains Nsiloulous, et leur donner l'envie de déserter. Si tu fais comme je dis, il ne vous fera rien. »

Tâ Louzolo prit acte de toutes ces consignes, qu'il transmit méticuleusement aux autres membres de la famille. Puis, il remit à son fils la somme de quatre cent mille francs CFA, qui devait leur servir à financer le voyage. Après des adieux émouvants, le petit groupe quitta Mbandza-Ndounga vers une heure du matin, et prit la direction de Mbelo. Même si Makila n'était censé arriver qu'à l'aube, Victor jugea nécessaire de prendre certaines précautions ; par conséquent, il partit en avant-garde avec ses hommes, et demanda aux autres d'avancer lentement. Ils empruntèrent la grand-route, car compte tenu des nombreuses bêtes sauvages qui erraient çà et là, opter pour les chemins de traverse à pareille heure pouvait s'avérer extrêmement dangereux. Après une vingtaine de minutes de marche, durant lesquelles aucun incident majeur ne fut à déplorer, ils retrouvèrent Victor et ses deux compères, à l'entrée du village de Matsoula. Celui-là même, dans lequel la famille d'Antoine avait séjourné. Ils cheminèrent dès lors en toute sérénité.

Comme la nuit tirait à sa fin, et après plusieurs heures de marche, ils firent étape dans une bourgade du nom de Mavoua Mambondi. C'est là que Victor décida de leur faire ses adieux. Il leur dit que lui et les deux autres allaient dorénavant continuer par la forêt, pour éviter de se faire repérer.

« Fais attention à toi, lui dit Cyr.

— J'essaierai. »

Victor se tut quelques secondes, puis il ajouta d'un air contrit qu'il regrettait amèrement de n'avoir pas pu venir en aide à Capi. Et il pria Cyr de lui accorder son pardon.

« Je ne t'en veux pas ! répondit ce dernier. Si nous sommes encore vivants, c'est grâce à toi. Partez maintenant !

— Adieu ! leur dit Victor. »

Quand ils furent hors de portée de la voix, Kouka fit remarquer que les désormais ex-Nsiloulous avaient enlevé leur barbe broussailleuse, et ne portaient plus aucun bandeau autour de la tête. « C'est vrai, fit Cyr, je n'avais pas fait attention. J'espère qu'ils arriveront sans problème à Boko. »

Ils quittèrent Mavoua Mambondi une demi-heure plus tard, marchant sans se presser et multipliant les pauses sur le trajet. En effet, il ne fallait pas trop s'épuiser, et il fallait ménager le plus possible tante Esther qui, en d'autres circonstances, n'aurait jamais été autorisée à faire un tel voyage. En début d'après-midi, ils arrivèrent à Kimpandzou. Après avoir avalé un énième repas sans sel, Kouka et Cyr laissèrent les deux époux se reposer à l'ombre de deux magnifiques flamboyants. Ils sollicitèrent un jeune villageois, qui les accompagna visiter les chutes de la Loufoulakari ; célèbres par-delà les frontières du pays, mais si peu visitées. Ils revinrent quelques heures plus tard, émerveillés par le spectacle qu'ils avaient contemplé.

Les deux jeunes lycéens réalisèrent que le pays était doté d'un potentiel touristique incommensurable. Cyr promit d'approfondir la réflexion sur ce sujet, si un jour il réussissait à intégrer l'université. Il ébaucha quelques propositions, qui permettraient à ses yeux d'intensifier le tourisme dans cette partie du pays. Kouka approuva, mais déclara toutefois qu'il fallait d'abord doter le pays en infrastructures routières. Car même en temps de paix, atteindre les chutes en partant de Brazzaville, constituait un véritable parcours du combattant ; et dans de telles conditions, aucun touriste n'oserait s'y risquer. Le jeune homme se lança ensuite dans une diatribe contre les autorités politiques, qui laissaient pourrir le pays, préférant les guerres et les détournements de fonds publics. Il parodia également le ministre de la Communication porte-parole du gouvernement, Augustin Lokuta, alias « Le Président a dit » Tout le monde s'esclaffa. Cyr quant à lui s'essaya au rap, qu'il avait délaissé depuis son passage à la DGPN, quelques mois auparavant. Il improvisa une chanson, qui plut énormément aux trois autres. Pour leur faire plaisir, il leur fit la promesse de l'enregistrer, dès qu'il serait arrivé à Brazzaville. Depuis le 18 décembre, son inspiration, disait-il, avait atteint son paroxysme.

Après l'avalanche de mauvaises nouvelles, et le départ prématuré de Mbandza-Ndounga, on se délecta de ces instants. Assis à même le sol, oncle Marcel et tante Esther considéraient avec admiration ces deux jeunes hommes, qui débattaient ainsi que des adultes, des problèmes qui minaient le pays. Ils furent bien aises de constater que cette guerre n'avait nullement éteint leur soif d'apprendre ; bien au contraire, ils avaient clairement gagné en maturité. Le couple était persuadé que lorsque la paix serait revenue dans le pays, Kouka et Cyr, qui avaient une détermination chevillée au corps, et étaient des pourfendeurs des iniquités, seraient promis à un brillant avenir.

Deux heures plus tard, ils se remirent en route, découvrant au fil de leur avancée l'immensité du Pool. Cette région, que d'aucuns qualifiaient de « grenier du Congo » était littéralement noyée dans un océan de verdure, et, offrait aux quatre voyageurs de somptueux paysages, oniriques, semblables à ceux qu'on trouvait au dos des plus belles cartes postales. Kouka était époustouflé par les magnifiques collines, et les vallons, à l'intérieur desquels de grandes rivières s'écoulaient paisiblement. Tous ces endroits, épargnés par la pollution des grandes villes et peu visités par l'homme, semblaient nimbés de mystères.

À la nuit tombée, ils firent étape dans un hameau pour y passer la nuit. Oncle Marcel prit attache avec une famille, qui accepta de louer l'une de ses cases, pour une somme tout à fait modique. Ils repartirent au point du jour.

Comme ils cheminaient sur la route en milieu de la matinée, ils entendirent tout à coup le bruit d'un moteur, et de nombreuses voix qui chantaient à tue-tête. Les paroles étaient comme de coutume, macabres et virulentes. Cyr fut le premier à se retourner, et les autres l'imitèrent aussitôt. Ils aperçurent au loin, un immense nuage de poussière qui s'élevait dans l'air, annonçant l'arrivée d'un véhicule. La peur les saisit. Oncle Marcel tança son épouse, qui était près de fondre en larmes.

« Ce n'est pas le moment Esther ! Nous devons garder notre calme.

— Mais Marcel, tu ne vois pas qu'on va mourir !

— Assez ! reprit son époux d'une voix plus ferme. Le véhicule se rapproche, ça ne sert à rien de commencer à paniquer. De toute façon, il est trop tard pour se cacher. »

Il fronça les sourcils, puis ajouta d'une voix sourde que leur destin était dorénavant entre les mains du Très-Haut. Quoique pétrifiés par la peur, Kouka et Cyr acquiescèrent, car oncle Marcel avait raison, il était trop tard pour trouver une échappatoire. Les voix des rebelles étaient de plus en plus perceptibles, et on distinguait clairement les paroles de leurs chansons :

Ninja eh Ninja eh
Nzala moyo mbo yanti
Bonga PMAK tué yendé
Mbo mona Cobra Kubula yo

Le véhicule parut enfin. C'était un pick-up gris, à bord duquel se trouvait une bonne dizaine de Nsiloulous. « Continuons de marcher, dit oncle Marcel. Nous verrons bien s'ils viennent pour nous chercher, et s'ils obéissent aux ordres de Makila. »

Et ils continuèrent d'avancer, comme si de rien n'était. Le pick-up arriva à leur niveau, et ils se gardèrent bien de regarder les rebelles dans les yeux. Puis, aussi surprenant que cela puisse paraître, les Nsiloulous passèrent sans s'arrêter, et poursuivirent leur chemin. Tout le monde poussa un soupir de soulagement, et la peur se dissipa aussitôt. Tante Esther fut près de prendre son époux dans les bras ; mais elle se ravisa, préférant attendre que les rebelles fussent hors de portée de vue. Mais soudain, quelque chose d'inquiétant se produisit. Le pick-up alla s'arrêter sur un coteau, à une trentaine de mètres. Le moteur continuait de vrombir, les chants s'étaient tus, et on entendait maintenant des éclats de voix. On vit s'allumer les feux de recul, et le véhicule entama une marche arrière rapide. Cette fois-ci, Kouka et les autres comprirent que les Nsiloulous en avaient après eux. Tante Esther recommença à sangloter, et marmonna en désespoir de cause : « Seigneur, reçois-nous dans ta demeure. » Oncle Marcel dit à Cyr et Kouka qu'ils étaient beaucoup trop jeunes pour mourir. Et il leur suggéra de prendre la fuite, sans plus attendre. Lui, n'avait pas d'autre choix, que de rester auprès de sa femme. Ils affronteraient leur destin ensemble.

Mais contre toute attente, les deux jeunes hommes ne lui donnèrent pas leur assentiment. « Je refuse ! dit Kouka. On ne va pas vous laisser ici. S'ils veulent nous tuer, ils n'ont qu'à le faire. » Cyr acquiesça, mais sans conviction aucune, car en vérité il n'avait plus la force de résister ni de fuir. Ses jambes fléchissaient. Une voix intérieure, vicieuse, semblait lui susurrer que d'une seconde à l'autre, il allait rejoindre ses parents et son grand frère dans l'au-delà. Pour comble de malheur, le pick-up s'arrêta en face de lui, comme pour signifier qu'il était la principale cible des rebelles. En moins d'une minute, ils furent tous les quatre, encerclés par des hommes en armes, enivrés par la haine et l'envie de tuer. Tante Esther se mit subitement à souffrir d'incontinence urinaire, tant la commotion qu'elle ressentit à ce moment-là fut violente. Oncle Marcel lui prit la main. Malgré les palpitations qu'il avait, Kouka trouva la force de s'approcher au plus près de Cyr. Subitement, ils entendirent la voix d'un Nsiloulou, qui était resté en retrait : « Salut Cyr, dit-il d'une voix enjouée. Je savais bien que c'était toi, mais les autres imbéciles ne voulaient pas me croire. »

Un homme à la barbe bien fournie et avec des dreadlocks, petit et malingre, parut. Cyr fut dans une grande surprise. Il s'agissait de Chikito. Il avait servi sous les ordres de Capi, quelques mois auparavant. Il avait depuis été affecté, à un tout autre régiment. Quoique soulagé de ne pas avoir affaire à Makila, Cyr ne voulut pas baisser sa garde pour autant. Mais le Nsiloulou le mit tout de suite à l'aise :

« Comment ça va Masta ? lui demanda-t-il avec un large sourire.

— Euh… balbutia Cyr. Je vais bien et toi ? »

Kouka, oncle Marcel et tante Esther étaient abasourdis. C'était à n'y rien comprendre. Chikito demanda à Cyr, ce qu'il venait faire dans ce coin perdu. Il voulut ensuite savoir comment allait son grand frère, Capi. Il n'en fallut pas plus à Cyr, pour comprendre que ces rebelles ne lui voulaient aucun mal. Et de toute évidence, ils n'étaient pas au fait de la situation. Il décida donc de jouer le jeu. Il répondit que son frère était parti au front, depuis une semaine tout au plus ; et lui faisait route vers Loumo, pour y retrouver son père. Cette pantalonnade fonctionna à merveille. Chikito n'y vit que du feu. Il lui fit savoir que pour sa part, il avait encore quelques patrouilles à effectuer dans le secteur. Puis il repartirait sur l'axe de Kinkala, où il avait des choses à régler. Pour finir, il souhaita bon voyage à Cyr, qu'il présenta aux autres Nsiloulous :

« Eh les gars ! fit-il. Vous avez devant vous le petit frère de Capi, l'homme le plus dangereux après Tâ Tchûla. Vous lui devez donc du respect. C'est compris ? »

Les Nsiloulous opinèrent du chef, sans pour autant se départir de leurs airs menaçants. Puis ils remontèrent dans leur pick-up, et s'en allèrent incontinent. Comme le véhicule disparaissait au loin, Kouka s'épongea le front avec un mouchoir, et dit aux trois autres : « Qu'est-ce qu'on a eu chaud ! »

Tous les quatre se remirent en route, avançant dès lors avec circonspection et évitant par moment d'emprunter la grand-route. Car même si nombre de gens, n'avaient pas encore eu vent de la mort de Capi, et que Makila semblait n'avoir donné aucune instruction ; Tâ Tchûla avait cependant doublé les patrouilles, le long du trajet menant à Mbelo. En effet, il avait à cœur d'empêcher, à toute force, les gens de repartir à Brazzaville. Fort heureusement, le voyage se poursuivit sans la moindre anicroche, et les voyageurs atteignirent Mbelo quatre jours après avoir quitté Mbandza-Ndounga.

XXV

C'était le début de la matinée, un vent humide soufflait sur la contrée, générant çà et là de la poussière. Le soleil, gêné aux entournures par des nuages indolents, avait toutes les peines du monde à darder ses rayons. À l'inverse des bourgades qui la précédaient, Mbelo grouillait de monde, et était singulièrement bruyante. C'était avant tout un repère de commerçants. Tout le monde était pressé. Partout, on discutait argent, on s'échangeait de la marchandise. Et les portefaix n'avaient de cesse d'aller et venir, entre le fleuve et la place du marché ; où les vendeuses donnaient de la voix, et faisaient du boniment, pour aguicher les clients venus du diable vauvert. Il y avait toutes sortes de produits, disparus depuis fort longtemps dans le reste de la région : du pain, des boîtes de conserve, de la bière, de la farine, du riz, mais surtout du sucre et du sel en abondance. Ces marchandises, qui étaient vendues à des prix totalement abordables, provenaient directement de la République démocratique du Congo.

Il était évident que la proximité avec ce grand pays avait épargné aux habitants de Mbelo, un bon nombre de tribulations. Dans les rues, les enfants riaient et s'ébattaient en toute innocence ; alors que dans d'autres contrées, ils étaient livrés à eux-mêmes, et réduits à la mendicité. Les habitants qu'on croisait étaient tous d'humeur joviale, et à en juger par la corpulence de certains d'entre eux, le mot famine, ne faisait clairement pas partie de leur vocabulaire. La situation était d'autant plus choquante, que même les Nsiloulous qui étaient affectés dans cette zone semblaient partager la forte insouciance de la population. Sans discrétion aucune, ils déambulaient de toutes parts, avec le plus souvent une bière à la main, ou bras dessus, bras dessous avec de jolies jeunes femmes. À part leurs bandeaux violets, et les Kalachnikovs qui ne les quittaient jamais ; rien ne laissait penser qu'il s'agissait là, des redoutables soldats de Saint-Michel.

Plus étonnant encore, ils avaient délaissé leurs oripeaux pour des vêtements chics. D'aucuns marchaient avec de très jolies chaussures aux pieds, et crânaient à la manière des sapeurs de Bacongo. Pour Kouka et les trois autres, qui prêtaient une attention particulière à tous ces détails insolites ; il était clair que ces Nsiloulous d'un tout nouveau genre avaient complètement délaissé la mission de surveillance, qui leur avait été assignée par Tâ Tchûla. Ils étaient loin d'imaginer que cette bourgade n'avait pas fini de leur livrer tous ses secrets.

L'une des premières choses à faire, en arrivant ce matin-là, fut de trouver un logement ; le temps de pouvoir embarquer dans une pirogue, à destination du Congo voisin. Kouka et Cyr s'attelèrent à cette besogne ; et dans cet endroit où tout pouvait se monnayer, ils n'eurent guère de mal à trouver une opportunité. La famille s'installa dans une petite maison en terre cuite, possédant deux chambres et située non loin du marché. Elle appartenait à un retraité, qui se prénommait Massengo. Il s'en servait pour héberger les gens de passage, notamment ceux qui ambitionnaient de traverser le fleuve. Depuis quelques semaines, ils affluaient en nombre, ce qui dynamisait fortement l'activité économique du village. Le vieil homme loua sa maison, pour la somme de quinze mille francs CFA par nuit. Puis, il expliqua à ses hôtes la procédure à suivre, pour effectuer leur voyage en toute sérénité. Ils devaient prendre langue avec les passeurs. Ils n'étaient à l'origine que de simples pêcheurs, mais ils s'étaient reconvertis dans le transport de personnes. Une affaire qui était de loin plus lucrative.

Il y avait en tout trois traversées par jour : une le matin, une autre le midi et la dernière en milieu d'après-midi. Mais compte tenu de l'important flux de voyageurs, il fallait prévoir un temps d'attente de deux à trois jours, avant d'espérer grimper dans une pirogue. Le montant de la traversée était astronomique. Il fallait s'acquitter au bas mot, de la somme de quatre-vingt mille francs CFA, par personne. Oncle Marcel fit rapidement les comptes. Pour pouvoir faire voyager toute la famille, il faudrait payer rubis sur l'ongle trois cent vingt mille francs CFA. À cela s'ajoutait le prix du loyer, de la maison dans laquelle ils avaient élu domicile provisoirement.

Tous ces calculs lui donnèrent le tournis, et achevèrent de le décourager. Il se renfrogna, car il réalisait que même s'ils réussissaient à passer sur l'autre rive, il ne leur resterait plus grand-chose pour vivre. Il leur serait même impossible d'arriver jusqu'à Brazzaville. Soudain, Cyr qui était resté muet sursauta. En effet, il venait de se souvenir de l'enveloppe que son défunt frère lui avait laissée. Il n'avait jamais daigné l'ouvrir jusqu'alors. Ils s'installèrent dans le salon, fermèrent la porte pour éviter les regards indiscrets, puis, Cyr alla chercher l'enveloppe qu'il avait enfouie au fond de son sac à dos. Il la confia à tante Esther, qui s'attela au comptage méticuleux de tous les billets. Au bout de plusieurs minutes, elle leva la tête et un joli sourire se dessina sur son visage.

« Je pense qu'avec ça, dit-elle avec enthousiasme, tous nos soucis sont terminés.

— Qu'est-ce que tu veux dire ? demanda son époux, qui continuait de s'apitoyer sur son sort. »

Son épouse ne lui répondit pas tout de suite, elle se tourna d'abord vers Cyr, et lui dit d'une voix très douce :

« Ton frère t'a fait un très beau cadeau. Il y a dans cette enveloppe, la somme d'un million cinq cent mille francs CFA.

— Comment ? s'écrièrent d'une seule voix Kouka et oncle Marcel. »

Leurs mines s'illuminèrent aussitôt, mais Cyr demeura impassible. Il se perdit dans ses pensées, et vit apparaître l'image de son grand frère, le visage fermé, la barbe hirsute ; arborant ce bandeau violet dont il ne se séparait jamais. Cette enveloppe, que tante Esther tenait dans ses mains, était le dernier geste d'affection que Capi avait eu à son égard, le dernier geste avant de s'en aller pour toujours. Cyr repensa aux années passées, bien avant que son frère ne devînt ce milicien sanguinaire ; bien avant les guerres à répétition, et leurs lots de malheur. L'un des souvenirs les plus marquants pour lui fut l'année où celui qui s'appelait encore Destin obtint le baccalauréat. Toute la famille exulta. Ce jour-là, son père ferma son atelier plus tôt que prévu, et fit acheter de la boisson à profusion. Les habitants du quartier furent tous conviés à la fête. Kouka, Gildas et leurs parents respectifs y prirent part également. Les festivités ne prirent fin qu'au point du jour, et la plupart des gens quittèrent le domicile de maître Nzouzi, en titubant sous l'effet de l'alcool. La paix régnait dans le pays, tous les habitants vivaient en bonne intelligence ; le démon du tribalisme n'avait pas encore perverti les esprits, et on n'avait cure de savoir si un tel était Lari, Mbochi, Téké, Vili ou Dieu sait quelle ethnie.

Destin avait tout pour réussir. Et il faisait la fierté des siens. Quelques mois après avoir obtenu haut la main son diplôme, il intégra l'unique université du pays, et débuta une licence de droit. Puis vint le temps des conflits, au début des années 90. Cette déferlante de violence le détourna malheureusement de son but initial, qui était de devenir juriste d'affaires. Contre le gré de ses parents, il s'engagea dans l'armée et, rejoignit quelque temps après les miliciens Ninjas.

Cyr était meurtri. Il abhorrait la guerre qui lui avait volé une partie de sa jeunesse, et avait détruit sa famille ; à commencer par son frère, qui en réalité était mort depuis fort longtemps. Car il considérait dorénavant que, ce rebelle sanguinaire, qui s'était engagé corps et âme dans la rébellion de Tâ Tchûla, n'avait plus rien à voir avec Destin. Puis, il eut une pensée affectueuse pour sa mère, qui fut emportée par une balle perdue durant les événements de juin 97 ; et pour son père, qui paya au prix fort sa filiation avec Capi. Les trois autres, qui avaient compris ce qui se passait dans la tête de Cyr, stoppèrent sur-le-champ leurs effusions. Des larmes perlaient sur les joues du jeune homme. Tante Esther posa l'enveloppe sur la tablette qui se trouvait en face d'elle, et le prit dans ses bras.

***

« Mon Dieu que c'est bon ! fit Kouka qui engloutissait goulûment son plat de riz et de Saka-Saka.

— C'est clair, opina Cyr qui venait de terminer son assiette. Je pourrais en avoir encore un tout petit peu tantine ?

— Doucement les garçons ! dit tante Esther en riant, vous allez vous étouffer. »

Mais les deux impétueux jeunes hommes se fichaient éperdument de ses mises en garde. Ce repas était pour ainsi dire, le plus délicieux, qu'il leur avait été donné de savourer depuis fort longtemps. Ils comptaient bien en profiter. Tante Esther, qui était allée faire ses courses dans le marché du village, l'avait apprêté avec soin ; d'autant plus que tous les condiments dont elle avait besoin étaient disponibles à foison sur les étals. Tous les quatre redécouvrirent ainsi les plaisirs culinaires, et singulièrement le goût du sel, auquel leurs papilles gustatives n'étaient plus accoutumées. Tante Esther acheta également des beignets à la banane, qu'ils prirent en guise de dessert. Les privations qu'ils avaient endurées jusqu'alors n'étaient plus qu'un lointain souvenir.

Une fois repus, les trois hommes abandonnèrent tante Esther, et partirent à la recherche des passeurs, pour s'inscrire sur la liste des départs. Leur logeur leur indiqua l'endroit où ils se trouvaient. Ils avaient installé un bureau de fortune à l'entrée du village, où l'un d'entre eux, qui ne participait pas aux traversées, avait la lourde tâche d'enregistrer les noms des différentes personnes, candidates au départ. Lorsqu'ils arrivèrent sur le lieu qui leur avait été indiqué, ils purent se rendre compte en un rien de temps, de l'ampleur de la situation. Près d'une centaine de personnes, voire un peu plus, attendaient en file indienne. Il y avait beaucoup de familles, mais également des gens seuls. Tous venaient des quatre coins du Pool, et espéraient ardemment fuir cet enfer, qui leur avait été imposé par les rebelles Nsiloulous. Après plus d'une heure d'attente vint le tour d'oncle Marcel, qui préféra effectuer seul les négociations. Les deux autres allèrent l'attendre quelques mètres plus loin. Quand il se retrouva nez à nez avec le passeur, il eut un haut-le-corps. Au vu de son bandeau violet, l'homme qui se tenait face à lui avait tout l'air d'être un Nsiloulou, et comme tous ses compagnons présents dans le village, il avait cet air débonnaire qui faisait très vite oublier la Kalachnikov posée à ses pieds. Personne d'autre ne se trouvait à ses côtés. Oncle Marcel fut davantage intrigué. « Combien de personnes ? demanda le rebelle de sa voix rauque. J'ai pas toute la journée devant moi ! Mes amis m'attendent, pour boire un coup ! »

Oncle Marcel ne sut que répondre. Puis il se rappela que les Nsiloulous n'étaient pas connus pour leur patience. Il se donna une contenance, et fit savoir à son interlocuteur qu'ils étaient quatre à voyager. Le rebelle demanda ensuite, s'il y avait des enfants dans le lot. À cette question, quelque peu étrange, oncle Marcel répondit que non. « D'accord ! dit le Nsiloulou. Si je te pose la question, ajouta-t-il, c'est parce que c'est demi-tarif pour les enfants de moins de dix ans. »

Oncle Marcel fut près d'éclater de rire, mais il se contint.

« Dans ce cas, reprit le Nsiloulou, ce sera trois cent vingt mille francs CFA. Note ton nom de famille sur cette page, et mentionne le nombre de voyageurs. Vous réglerez avant d'embarquer. Vous partez après-demain, dans la pirogue de l'après-midi. Soyez au bord du fleuve à quatorze heures, et pas de retard, sinon nous partirons sans vous.

— C'est entendu ! fit oncle Marcel, qui s'efforçait de retenir toutes les consignes qu'on venait de lui donner.

— Allez, au suivant ! »

Sur le chemin du retour, oncle Marcel proposa à Kouka et Cyr de faire un saut chez leur logeur, Massengo ; afin qu'il les aidât à comprendre ce que tramaient les passeurs et les Nsiloulous. Le vieil homme leur révéla que cela faisait quelque temps, que ces deux camps fricotaient ensemble. Oncle Marcel n'en revenait pas. Massengo lui dit qu'il n'y avait pourtant pas lieu de s'en étonner. Cela s'expliquait avant tout, par le nombre incalculable de personnes voulant à tout prix quitter le Pool. Les Nsiloulous avaient flairé la bonne affaire. Ils décidèrent de fermer les yeux sur ces départs massifs, et contraignirent par la suite les passeurs, à augmenter les tarifs, et à leur reverser plus de la moitié des sommes collectées. Ce qui leur permit d'amasser des fortunes, en un temps record.

Massengo fit savoir à oncle Marcel que l'homme auprès duquel il était allé s'inscrire pour la traversée était l'un des chefs. Il s'appelait Bouetoussa. L'autre, Pécos, était en déplacement. Craignant de se faire rouler par les passeurs, ils avaient décidé de contrôler eux-mêmes les listes de voyageurs. « Mais ils n'ont pas le droit de faire des affaires », s'écria oncle Marcel, qui énuméra par la même occasion, quelques-unes des règles auxquelles les Nsiloulous devaient s'astreindre. Massengo ne put s'empêcher de se tordre de rire. À ses yeux, Bouetoussa et sa bande, étaient plus des affairistes que des rebelles. Il n'y avait qu'à bien les observer, fit-il remarquer, pour tout de suite s'en rendre compte. Ils se soûlaient à longueur de journée, mangeaient de la viande en quantité, et forniquaient. L'un d'eux avait même organisé une semaine auparavant, son mariage avec une habitante de Mbelo. C'est dire s'ils se fichaient du combat mené par Tâ Tchûla. « Il est complètement largué, le pauvre, lança Massengo, hilare. Il ne sait rien de ce qu'il se passe ici. » Et le vieil homme d'ajouter que, Bouetoussa et ses hommes, n'avaient rejoint la rébellion que dans le seul but de se procurer des armes, et rançonner les gens. Assommé par cette avalanche d'informations, oncle Marcel remercia leur logeur, et prit congé de lui. « Allez les garçons, dit-il à l'adresse de Kouka et Cyr, rentrons maintenant. »

XVI

Le jour du départ arriva. Toute la famille qui s'était levée de bonne heure fut prête un peu avant treize heures. Oncle Marcel décida de respecter au pied de la lettre, ce proverbe qui dit que « Deux précautions valent mieux qu'une. » Il mit de côté la somme nécessaire pour le voyage, et demanda à son épouse de cacher le reste, qui appartenait à Cyr. Celui-ci en aurait forcément besoin, une fois arrivé à Brazzaville. Oncle Marcel espérait dorénavant que ces Nsiloulous, peu à cheval sur les règles de bonne conduite, hésiteraient à fouiller son épouse avant le début de la traversée. Auquel cas, ce serait dramatique.

« Ne t'en fais pas, fit tante Esther pour le rassurer, je pense que ça va aller.

— J'espère ! répondit oncle Marcel. Maintenant que nous avons tout réglé, nous pouvons y aller ! »

Tout le long du chemin menant au fleuve, ils croisèrent d'autres voyageurs. Quantité de vendeurs étaient également présents, proposant qui de la nourriture, qui des bouteilles d'eau minérale. Kouka acheta quatre bouteilles, et les glissa dans son sac. Elles seraient forcément utiles pour plus tard, d'autant qu'on subissait de plein fouet l'inclémence du soleil. Pour ce qui était de l'alimentaire, tante Esther avait pris ses dispositions. À la file indienne, ils se faufilèrent dans un étroit sentier qui allait en serpentant, marchant sur des cailloux dont certains étaient acérés. À mesure qu'ils avançaient, ils voyaient le sentier se rétrécir, et devenir de plus en plus abrupt. La moindre chute pouvait valoir une fracture du crâne. Ils mirent une quinzaine de minutes, pour atteindre le bord du fleuve. À ce moment-là, ils comprirent pourquoi Mbelo était l'endroit le plus adéquat pour traverser. En effet, la distance pour rejoindre l'autre rive était plus courte que celle séparant Brazzaville et Kinshasa. À vue d'œil, on eût dit qu'il y avait moins de trois kilomètres à parcourir. De plus, le courant semblait également moins important, et le fleuve écoulait ainsi ses eaux sombres avec une extrême douceur.

Sur l'autre rive, la vue était imprenable. Une immense forêt composait le paysage, et au loin, sur la gauche, on apercevait une suite de montagnes, dont les cimes avaient l'air de s'enfoncer dans le firmament. Mais ce qui frappa le plus les voyageurs, fut le comité d'accueil qu'ils trouvèrent au bord du fleuve. Une quinzaine de Nsiloulous étaient présents, armés jusqu'aux dents, les visages menaçants. Leur chef, Bouetoussa, tenait dans sa main le cahier dans lequel chaque voyageur avait inscrit son nom, quelques jours auparavant. Il était presque treize heures, mais chose étrange, aucun passeur n'était visible.

« Les pirogues seront bientôt là, fit le rebelle. Il y en a cinq. Donc rassurez-vous, tout le monde pourra voyager. Maintenant, préparez l'argent et attendez sagement que je vous appelle. » Et tel un enseignant dans une école, il se mit à faire l'appel. Il arriva très rapidement à Kouka et sa famille.

« Famille Louzolo ! cria-t-il.

— Nous voici ! répondit timidement oncle Marcel.

— J'ai noté quatre personnes, c'est bien ça ?

— Oui.

— Je veux voir l'argent, dit Bouetoussa. »

Oncle Marcel lui tendit une petite pochette. Il l'ouvrit, et prit la liasse de billets qui était contenue à l'intérieur. Il la soupesa, passa son doigt sur sa langue, et se mit à compter méticuleusement tous les billets. Il s'arrêta sur deux d'entre eux, trop froissés à son goût, et les considéra d'un œil soupçonneux, comme s'ils eussent été factices. Fort heureusement, le compte y était. Satisfait, Bouetoussa rangea le tout dans sa grosse sacoche en bandoulière. Il invita ensuite tous ceux qui avaient payé, à se mettre en rangs au bord du fleuve. Les femmes et les enfants, précisa-t-il, monteraient en premier.

À peine avait-il fini de parler que, des coups de feu retentirent. Tout le monde fut pris de panique. Certains s'allongèrent immédiatement face contre terre, d'autres se mirent à courir au hasard. Des pleurs et des cris fusèrent de toutes parts. Oncle Marcel saisit sa femme par le bras, et l'emmena se réfugier derrière un gros rocher. Kouka et Cyr en firent autant. Une deuxième rafale se fit entendre, et cette fois-ci, une femme tomba raide morte. Quelques secondes plus tard, un homme qui tentait vainement de trouver une cachette fut également touché. Il rendit l'âme presque aussitôt. Les hommes de Bouetoussa dégainèrent à leur tour leurs armes et, ne sachant exactement où se trouvaient les assaillants, ils se mirent à faire feu en direction des falaises.

Pour Kouka et Cyr, qui se regardaient avec inquiétude, il ne pouvait s'agir que de Makila. Ce scélérat avait fini par retrouver leur trace. Durant les quelques jours qu'ils avaient passés à Mbelo, les deux amis avaient presque oublié qu'ils n'étaient que de simples fugitifs et, qu'une terrible menace pesait sur eux. Ils avaient eu la fatuité de croire qu'ils étaient tirés d'affaire, mais ils venaient d'être rattrapés par la réalité. Acculés au bord du fleuve, ils n'avaient guère d'autre choix que d'attendre, une sentence qui promettait d'être terrible. Finalement, les tirs cessèrent, et ils entendirent une voix terrifiante émaner des rochers : « Puisque vous avez voulu me rouler, personne ne partira d'ici vivant. »

Cyr prêta l'oreille attentivement, et réalisa à sa grande surprise que cette voix n'était pas du tout celle de Makila. Bouetoussa, en revanche, semblait savoir exactement à qui il avait affaire. « Ah, c'est toi ! fit-il. Tu nous as fait peur salop. J'ai cru que c'était Tâ Tchûla, qui venait nous faire la peau. » Puis il se mit à rire. Soudain, un petit homme rabougri, coiffé d'un chapeau de paille, et portant des lunettes de soleil, parut entre les rochers. Il était accompagné de cinq Nsiloulous. Ils s'avancèrent vers Bouetoussa, lequel ordonna à ses hommes de baisser leurs armes.

« Je t'avais pourtant dit de m'attendre ! grogna l'homme au chapeau de paille.

— Calme-toi, Pécos. Je ne savais pas que tu rentrais aujourd'hui. »

Ce nom, Kouka, Cyr et oncle Marcel l'avaient déjà entendu. C'était celui dont leur avait parlé leur logeur Massengo, quelques jours plus tôt. L'homme était courroucé. Le temps monta très vite d'un cran.

« Menteur ! cria-t-il. Je t'avais bien dit que je devais rentrer, avant le départ des premières pirogues. Avoue que tu voulais garder la recette du jour pour toi.

— Ne dis pas de bêtises ! s'emporta à son tour Bouetoussa. Voici la liste des voyageurs. Et quand nous ferons les comptes tout à l'heure, tu verras qu'il ne manque pas un seul centime. »

Il s'approcha de Pécos, et lui donna la fameuse liste. Puis il ajouta en plaisantant : « Nkossa, chacun aura sa part ! »

Le Nkossa était un gisement pétrolier situé au large de Pointe-Noire, capitale économique de la République du Congo. Il fut mis en production en 1996. Dans un élan d'enthousiasme, le Président de l'époque, celui-là même que l'on surnommait le Professeur, connu pour son goût pour les ratiocinations ; avait déclaré que chaque Congolais aurait sa part de Nkossa. Cela voulait dire en théorie que, l'entièreté de la population jouirait inévitablement, de la richesse générée par cet important gisement. Mais la réalité fut tout autre, et les Congolais, jamais à court de railleries, utilisaient cette expression à tire-larigot ; chaque fois qu'ils parlaient de la gestion erratique du pétrole.

Cette discussion saugrenue entre les deux rebelles détendit l'atmosphère, et fit s'évaporer la crainte de l'esprit des voyageurs. Ils comprirent qu'il n'était question que de cupidité. L'un avait tout simplement craint de se faire rouler par l'autre. Et leur algarade avait fait deux victimes innocentes. Les deux hommes s'éloignèrent à quelques mètres, et se mirent à faire des messes basses. Ils revinrent au bout de quelques minutes, souriants, et tout à fait décontractés. La tension semblait être retombée. Bouetoussa tendit une bouteille de bière à Pécos, lequel la décapsula avec ses dents. Après avoir bu quelques rasades, il s'adressa aux voyageurs sur un ton amical, oubliant presque qu'il avait tenté de les conduire au tombeau, quelques minutes plus tôt. « Pourquoi vous restez cachés ? dit-il en s'esclaffant. N'ayez pas peur. Nous sommes en famille ici. Regardez, les pirogues sont là. »

Effectivement, dans le sauve-qui-peut, personne parmi les voyageurs, n'avait prêté attention aux cinq pirogues, qui se laissaient couler sur les eaux du fleuve Congo. Elles vinrent accoster non loin de Bouetoussa, qui salua chaleureusement l'un des passeurs :

« Les affaires sont bonnes ! fit-il en se frottant les mains. Tu as vu tous les clients que je te ramène ?

— Ah oui Mokonzi (chef), répondit le passeur avec révérence. Les affaires sont vraiment bonnes. »

Sans plus attendre, ils commencèrent à embarquer les bagages. Ils demandèrent ensuite aux femmes et aux enfants de s'installer. Les hommes passèrent en dernier. Oncle Marcel alla prendre place à côté de son épouse. Kouka et Cyr restèrent côte à côte. En sus des trois passeurs, ils étaient en tout une dizaine dans leur pirogue. Une fois que tout le monde se fut bien installé, Bouetoussa donna le signal de départ. Les passeurs qui se trouvaient en queue, épaulés de quelques Nsiloulous, se mirent à pousser de toutes leurs forces, les pirogues qui étaient ensablées sur le bord du fleuve. Une seule poussée suffit à les faire glisser sur l'eau. Et avec une dextérité qui forçait l'admiration, les passeurs grimpèrent à bord et commencèrent à pagayer.

Mus par une forte crainte, Kouka et Cyr, qui n'étaient jamais montés à bord d'une pirogue se regardèrent sans dire un mot. Leur crainte était d'autant plus grande, que la pirogue dans laquelle ils se trouvaient n'avait de cesse de tanguer, et comportait de minuscules fissures, à l'intérieur desquelles de l'eau s'insinuait. Oncle Marcel demeura calme, car durant sa jeunesse, il avait plusieurs fois voyagé à bord d'une pirogue. Son épouse, comme à son habitude, préféra confier leur sort au Divin. Elle commença à psalmodier des psaumes bibliques ; et les deux autres femmes présentes dans la pirogue l'imitèrent. Elles entonnèrent après cela, un chant chrétien :

« Je chanterai de tout cœur, les merveilles de mon papa Yahweh.

Il m'a ôté des ténèbres, il m'a délivré de tout péché ».

Peu à peu, leur pirogue s'éloigna du rivage et arrêta de tanguer. Comme il était de coutume dans leur tradition, les deux passeurs, qui étaient pêcheurs de profession, fallait-il le rappeler, versèrent chacun une obole dans l'eau. Intrigué, Kouka questionna son oncle. Ce dernier lui répondit que c'était une manière pour eux de payer le droit de passage, aux esprits qui habitaient dans le fleuve. « Je vois, fit Kouka, dubitatif. » Il est vrai qu'il n'avait jamais prêté la moindre considération à toutes ces croyances, qui le plus souvent venaient du fond des âges. Il plongea son regard dans le fleuve. L'eau était sombre, et on ne pouvait pas apercevoir le fond. À part les poissons et les crocodiles, il commença à se demander si quelque chose de bien plus étrange peuplait réellement les profondeurs. Puis subitement, il replongea dans ses souvenirs, se rappela quelques images, et des histoires qu'il avait entendues çà et là, des réminiscences de sa jeunesse, qui avaient trait à Mami Wata, un nom qui résonnait comme un conte de fées. C'était la toute puissante reine des eaux. Mi-femme, mi-poisson, la légende disait qu'elle habitait le fleuve depuis la création du monde. De nombreux griots à travers toute l'Afrique chantaient ses louanges et vantaient son incroyable beauté. On disait qu'elle était capable de charmer n'importe quel homme, et de l'entraîner dans les abîmes du fleuve. Même un prêtre pouvait se renier à la simple vue de cette enchanteresse. Il y avait toutefois, une chose que l'on retenait la concernant : c'était de ne jamais s'attirer sa colère. Elle pouvait, dans ces moments-là, déchaîner les éléments et provoquer d'un simple regard, la mort de celles et ceux qui avaient osé la contrarier.

Cette dernière anecdote fit frémir Kouka. Puis, comme s'il eût tout à coup eu un doute, il mit sa main dans sa poche. Il en tira une pièce de cent francs, qu'il jeta discrètement dans l'eau du fleuve ; voulant probablement contenter ces forces mystiques, qu'il ne maîtrisait pas parfaitement. Cyr, qui n'avait rien manqué de cette scène éclata de rire. Les deux amis se retournèrent ensuite, jetèrent un œil sur la rive qu'ils venaient de quitter, réalisant le cœur battant, qu'ils étaient enfin sortis de l'enfer du Pool. Ils laissaient derrière eux la famine, les maladies ; et s'affranchissaient par-dessus tout de la tyrannie de ces rebelles sanguinaires.

Quelques minutes plus tard, les cinq pirogues accostèrent à Kasangulu, une petite localité de la province du Bas-Congo. Comme au départ de Mbelo, on s'occupa d'abord des bagages. On fit ensuite descendre les passagers. Il y avait au bord de l'eau, un groupe de lavandières et leur marmaille. Elles saluèrent les nouveaux arrivants en agitant les mains. Sans attendre son tour, un passager de l'une des pirogues descendit à la hâte, en bousculant tout le monde sur son passage. Il s'agenouilla, embrassa le sol et lâcha, à haute et intelligible voix : « Merci, Seigneur ! Nous sommes enfin sauvés. »

Sa réaction déclencha l'hilarité générale. Il avait dit tout haut, ce que beaucoup pensaient tout bas. On voyait des visages couverts de larmes de joie. Certes, Brazzaville était encore loin, mais le plus dur, c'est-à-dire quitter le Pool, était accompli. Kouka jeta un œil sur le sentier qu'ils allaient devoir emprunter, pour atteindre les premières habitations. La pente était raide. Vu qu'ils étaient chargés, il leur faudrait fournir beaucoup d'efforts physiques. Soudain, on vit paraître au loin un homme en uniforme. Il n'avait pas d'armes sur lui, mais cela n'empêcha pas les gens de prendre peur. Cet homme se mit à sourire, et lança d'une voix affable : « Soyez les bienvenus en République démocratique du Congo, mes chers amis ! » Il répondait au nom de Ntumba. Il était garde-frontière, et avait le grade de caporal. Il fit comprendre aux voyageurs que c'était à lui qu'incombait la tâche de les accueillir. « Ici, vous ne risquez plus rien, assura-t-il. Les rebelles de votre pays n'ont pas le droit de traverser le fleuve. »

Le caporal pria ensuite tout le monde de faire cercle autour de lui, et de bien écouter ce qu'il avait à dire. Il leur expliqua qu'ils devaient se rendre au cœur de la localité. Là-bas, ils seraient accueillis par le chef des gardes-frontières ; lequel leur donnerait la marche à suivre, pour atteindre Brazzaville en passant par Kinshasa. Il leur conseilla de partir sur-le-champ, car la route était longue. Après quoi, il leur souhaita bonne chance, et s'en alla comme il était venu, de sa démarche lente et nonchalante. Les gens se regroupèrent par famille, et partirent sans perdre de temps. Oncle Marcel prit la tête du cortège, suivi de Cyr. Kouka, lui, marchait quelques mètres en arrière, avec sa tante, laquelle manifestait déjà des signes de fatigue. Au couchant, ils pénétrèrent dans Kasangulu. Le lieutenant Sepela, chef des gardes-frontières, vint au-devant d'eux. Il invita tout le monde à le suivre dans son bureau, qui était situé à une dizaine de minutes de marche. Kouka et sa famille furent les premiers à être reçus. L'officier leur posa une série de questions, tandis que son assistant notait les réponses au moyen d'une machine à écrire. Oncle Marcel répondit précisément à toutes les questions qu'on lui posa.

« D'où êtes-vous partis ? demanda le lieutenant.

— De Mbandza-Ndounga.

— Combien êtes-vous ?

— Quatre.

— L'un de vous a-t-il servi dans la rébellion Ninja ? »

Cette question intrigua fortement oncle Marcel. Il s'empressa de répondre par la négative, et déclara qu'ils n'étaient que de simples civils. Le lieutenant Sepela prit note, et les informa par la suite sur la marche à suivre. Toutes les personnes arrivant de l'autre rive étaient dorénavant dans l'obligation de transiter par le camp du HCR, qui se trouvait dans la ville de Mbanza-Ngungu.

« Et pourquoi ? demanda oncle Marcel.

— Ce sont les consignes du gouvernement, monsieur, répondit calmement le lieutenant Sepela. Au cas où vous ne le sauriez pas, vous êtes de plus en plus nombreux à débarquer dans notre pays. Beaucoup sont démunis, et n'ont pas les moyens de subvenir à leurs besoins. C'est une situation humanitaire, qui nécessite d'être prise en charge par le HCR. Et c'est également une question sanitaire, car on ne peut pas vous laisser traverser la région, sans être certain, que vous n'êtes pas porteurs de maladies graves. J'espère que vous me comprenez ? demanda le lieutenant.

— Oui, je vous comprends, répondit oncle Marcel.

— À Mbanza-Ngungu, ajouta le lieutenant, les équipes du HCR s'occuperont de vous. Elles coordonnent les rapatriements vers Brazzaville. C'est une action humanitaire, vous n'aurez donc rien à dépenser. Mais tout ce qui précède l'arrivée à Mbanza-Ngungu est à votre charge. C'est à Gombe-Matadi qu'il faut vous rendre en premier, c'est à quelques kilomètres d'ici. De là-bas, vous pourrez prendre une navette, qui vous conduira directement à votre destination. Je ne peux vous autoriser à faire le voyage de nuit, vous partirez donc demain, à la première heure. En marchant sans vous presser, vous atteindrez Gombe-Matadi en début d'après-midi. »

Après avoir recueilli ces informations circonstanciées, Kouka et les siens allèrent se reposer dans une grande maison, que le lieutenant Sepela avait réquisitionnée pour la circonstance. Ils y trouvèrent d'autres personnes, arrivées de Mbelo par les pirogues du matin, et installées à même le sol, les unes à côté des autres. Fourbus, tante Esther et oncle Marcel furent les premiers à s'endormir. Quant à Kouka et Cyr, ils allèrent au-dehors contempler les lucioles.

Tout le monde se leva aux aurores. On voyait les habitants de Kasangulu s'affairer, et prendre qui la direction du fleuve, pour aller pêcher, qui celle des champs. En attendant d'être en âge d'aider leurs parents, dans leurs ouvrages respectifs, les petits enfants restaient à la maison. En guise de petit déjeuner, Kouka et les trois autres mangèrent des ignames et des cacahuètes, que les habitants de Kasangulu avaient eu l'amabilité de leur offrir. Ils reçurent également du poisson fumé et des fruits ; ce qui leur permit de se constituer un panier-repas pour la route. Quand vint le moment du départ, oncle Marcel, toujours à cheval sur les règles de bienséance, alla trouver le lieutenant Sepela, pour lui adresser quelques remerciements et lui dire au revoir. Après quoi, la petite famille se mit en marche. De nombreux enfants vinrent se masser sur le parcours, pour encourager et acclamer ceux qu'ils appelaient « réfugiés ».

XXVII

C'était l'effervescence dans les rues de Gombe-Matadi. Le visage ruisselant de sueur, le maire de cette localité du Bas-Congo, n'en finissait pas de faire des allées et venues, entre son bureau et l'arrêt d'autobus, pour coordonner les départs pour Mbanza-Ngungu. Kouka, Cyr, et oncle Marcel prirent attache avec lui, afin qu'il les aidât à résoudre une problématique majeure, à laquelle ils s'étaient heurtés dès leur arrivée dans la ville, en début d'après-midi. Elle concernait les devises. Étant donné que le franc CFA n'avait pas cours, en République démocratique du Congo, il convenait de se procurer de toute urgence des francs congolais ; de manière à pouvoir payer le voyage, et surtout, s'acheter de quoi manger. L'édile les orienta vers un commerçant du centre-ville, auprès duquel ils purent échanger la somme de cent mille francs CFA ; ce qui faisait un peu plus de deux cent quatre-vingt mille francs congolais. Ils allèrent ensuite rejoindre tante Esther, qui était restée assise non loin de l'arrêt d'autobus.

Le voyage était effectué en camion. Arrivés de divers endroits du Pool, les réfugiés devaient être une centaine. Certains d'entre eux patientaient depuis des jours, car les pluies qui s'étaient récemment abattues sur la région avaient fortement interrompu le trafic routier. Ce jour-là, le soleil était au rendez-vous. Le maire avait joint par téléphone son homologue de Mbanza-

Ngungu, lequel lui avait assuré que deux camions étaient en route pour Gombe-Matadi. Cette nouvelle rasséréna l'ensemble des réfugiés, qui commençaient à donner des signes d'impatience. À quatorze heures, on vit paraître au loin un camion, qui avançait très lentement et cahotait sur la route. Le véhicule, qui était loin d'être récent, vint se garer à proximité de l'arrêt d'autobus. De son pot d'échappement s'exhalait une fumée noirâtre et pestilentielle qui révulsa tout le monde, de sorte qu'on dut attendre que le chauffeur coupât le moteur pour se rapprocher. Tel un essaim d'abeilles, les réfugiés se ruèrent sur le camion, car nul ne voulait manquer le voyage. Le maire et les agents de police dont il avait requis l'assistance durent hausser le ton et appeler au calme. Comme pour les pirogues, on fit embarquer en priorité les parents avec enfants et les femmes enceintes. Bien qu'elle ne fût qu'au début de sa grossesse, tante Esther n'eut guère de mal, à convaincre le chauffeur de la laisser grimper à bord, avec les trois hommes qui l'accompagnaient. Ils durent s'acquitter de la somme de cent mille francs congolais.

Mais hors du véhicule, la tension était montée d'un cran. Entre les coups de sang et les tractations tarifaires, on ne savait clairement plus à quel saint se vouer. Quelques réfugiés commencèrent à se répandre en insultes, et faillirent même en venir aux mains. D'autres allèrent bloquer l'accès à la cabine du camion, pour empêcher le chauffeur d'y accéder. Les multiples sommations des policiers n'avaient pas d'effet dissuasif sur cette foule endiablée. Ce charivari devenait insoutenable, et d'un moment à l'autre, le pire pouvait arriver. Et soudain, des coups de klaxon vinrent détendre l'atmosphère. On vit arriver un autre camion. Il était certes aussi vétuste que celui qui le précédait, mais il avait l'avantage d'être largement plus grand. Au bout du compte, un partage équitable fut effectué entre les deux camionneurs, et vers seize heures, on donna le signal de départ. Kouka eut de la peine pour sa tante, car les conditions du voyage étaient effroyables, pour ne pas dire inhumaines. Tous les passagers voyageaient debout, et étaient entassés les uns à côté des autres, telles des sardines dans une boîte de conserve. De plus, ils avaient du mal à se tenir droits, étant donné que les bagages étaient posés entre leurs jambes. Le chauffeur déclara qu'il fallait compter trois heures de route tout au plus, pour atteindre Mbanza-Ngungu. Et pour couronner le tout, la benne était découverte, on était donc à la merci d'un soleil implacable.

***

Ce fut tout un régiment de police, qui accueillit les deux camions à leur entrée dans la ville. Il était vingt-deux heures. On demanda aux gens de se regrouper par famille, et de se diriger en file indienne, vers le poste de police qui se trouvait à moins d'une dizaine de mètres. Tout le monde avait l'esprit engourdi, et avançait à grand-peine. En effet, le voyage ne fut pas de tout repos. Comment aurait-il pu en être autrement ? À plusieurs reprises durant le trajet, les deux camions, qui se suivaient de très près, s'étaient enlisés dans le sable. Et pour se dégager, les chauffeurs n'avaient pas eu d'autre choix, que de faire descendre tous les passagers. Ces derniers étaient alors obligés de poursuivre le voyage à pied, sur plusieurs centaines de mètres, en prenant avec eux leurs bagages.

Ce fut également le cas, lorsqu'il s'était agi de dévaler des pentes, dans lesquelles il était préférable que le véhicule fût le plus léger possible. Le reste du temps fut rythmé par les cahots à répétition. Tout cet inconfort, ainsi que ces multiples dérangements harassèrent totalement les voyageurs qui n'éprouvèrent guère d'enthousiasme, lorsque leur voyage toucha à sa fin. On était au début du mois d'avril, de l'année 1999. Oncle Marcel alla remplir les formalités seul. Il fut reçu par le chef de la police.

« Famille Louzolo ! hurla celui-ci, qui consultait un registre, provenant à n'en pas douter de Kasangulu.

— Nous sommes là, monsieur, dit oncle Marcel.

— Ce n'est pas "Monsieur" c'est "Mon Capitaine", répondit le policier avec hauteur.

— Excusez-moi, mon capitaine, fit oncle Marcel d'un air confus.

— Passons. D'après le rapport du lieutenant Sepela, vous êtes quatre, dont une femme enceinte. C'est bien ça ?

— C'est exact.

— Parfait. Pour vous, ce sera Comète.

— Qu'est-ce que c'est ?

— C'est le camp du HCR, dans lequel vous devez vous rendre. Ils ne peuvent vous accueillir de nuit, donc vous dormirez dans le local qui est derrière le poste de police. Tenez, c'est ce que vous devrez montrer, au représentant du HCR qui viendra vous chercher demain matin, pour vous conduire dans vos camps respectifs. »

Le capitaine présenta à oncle Marcel un bordereau sur lequel figuraient des informations les concernant : âges, prénoms, sexes et provenance. Il lui demanda d'apposer sa signature au bas du bordereau, puis il posa quelques questions de routine, auxquelles oncle Marcel n'eut aucun mal à répondre. Mais il fronça les sourcils, quand le capitaine lui demanda si l'un des membres de la famille, avait servi dans la milice Ninja. C'était la deuxième fois en deux jours qu'il était confronté à cette question. Il comprit que ce n'était pas fortuit. Des consignes avaient probablement été données aux forces de l'ordre. De plus, il remarqua qu'en République démocratique du Congo, le terme Nsiloulou semblait être peu usité, voire méconnu. « Au suivant », hurla soudain le capitaine.

Oncle Marcel alla aussitôt retrouver sa famille, qui l'attendait dans la salle attenante au bureau du capitaine. Il leur raconta son entretien avec l'officier de police, et leur fit part de l'étrange sentiment qu'il avait éprouvé, lorsqu'on lui avait encore parlé des rebelles. Tante Esther lui dit qu'il n'y avait pas lieu de s'en inquiéter. D'après elle, il s'agissait de questions que les autorités de ce pays étaient en droit de se poser ; car elles ne pouvaient se permettre d'accueillir des criminels, ou des fous de Dieu sur leur territoire. À vingt-trois heures, on installa tout le monde dans le local. Les policiers distribuèrent une pitance, certes peu ragoûtante, mais qui suffit amplement à calmer la faim, qui tenaillait les estomacs depuis le départ de Gombe-Matadi.

Le lendemain matin, Kouka et Cyr se levèrent de bonne heure, et allèrent faire le tour du quartier, pour prendre leurs repères. Après quoi, ils vinrent chercher oncle Marcel et tante Esther.

« Réveillez-vous ! fit Kouka, les agents du HCR sont là. Ils veulent qu'on se réunisse devant le poste de police. »

En moins d'un quart d'heure, les gens se rassemblèrent au-dehors, où les représentantes du HCR les attendaient. C'étaient cinq femmes proches de la trentaine qui, à rebours des policiers de la veille, affichaient des visages avenants et souriants. Elles portaient toutes des casquettes, et des gilets estampillés UNHCR. L'une de ces femmes prit la parole, et d'une voix très douce, se présenta à tout le monde :

« Tout d'abord ! dit-elle, permettez-moi de vous souhaiter la bienvenue en République démocratique du Congo. Je suis

Sabrina Ilunga. Je suis Volontaire des Nations Unies. Et voici mes collègues Maévie, Thécie, Geneviève et Mireille. Nous allons vous conduire dans vos camps d'affectation. Regardez le nom qui figure sur votre bordereau, et attendez qu'on vous appelle. »

Sabrina était pédagogue et empathique. Sa prise de parole eut le mérite de mettre à l'aise tout le monde. Avec ses collègues, elles constituèrent plusieurs groupes. Kouka et sa famille allèrent avec Thécie, responsable du camp Comète. Mais au moment du comptage, cette dernière fut troublée par un détail :

« Attendez ! dit-elle en fronçant les sourcils. Vous n'apparaissez pas dans ma liste.

— Comment ça ? demanda oncle Marcel. C'est pourtant ce qui est écrit sur le bordereau qu'on nous a donné, hier soir.

— Oui, mais les policiers se sont encore trompés, dit Thécie d'un air embarrassé. Et ce n'est pas la première fois, qu'ils nous font le coup. Ils devaient encore être pressés de rentrer chez eux. Mais après, c'est nous qui devons rattraper leurs erreurs. Et on perd un temps fou.

— Calme-toi, ma belle ! dit Sabrina, qui venait de s'approcher de sa consœur. Laisse-moi vérifier ça. »

Elle examina la liste de Thécie, et la compara avec la sienne. Il ne lui fallut que quelques secondes, pour comprendre ce qui clochait :

« Effectivement, fit-elle, il y avait une erreur dans la répartition. Vous n'êtes pas avec Thécie, mais avec moi, dans le camp Gidar. »

Une fois cet incident résolu, Sabrina et son groupe s'ébranlèrent. Ils cheminèrent à travers la ville, durant près d'une vingtaine de minutes. Partout, on entendait des cris, des rires, des coups de klaxon et de la musique. Une pléthore de magasins étaient ouverts, et on voyait des gens s'affairer. Kouka et Cyr exultaient, car après des mois passés au village, ils retrouvaient enfin la vie citadine. De plus, l'enchevêtrement des rues et la structure des maisons n'étaient pas sans rappeler certains quartiers de Brazzaville ; ce qui amplifia considérablement leur euphorie. Sabrina les fit passer par un marché, où les gens se retournaient sur leur passage et chuchotaient : « Ce sont des réfugiés du Congo Brazza ! » Pour la première fois depuis leur départ de Mbandza-Ndounga, ils prirent conscience de leur nouveau statut, et commencèrent à sentir un parfum d'exil.

***

Le camp de Mbanza-Ngungu, qui avait été mis en place avec le soutien des autorités locales, pour faire face à l'afflux de réfugiés provenant du Congo-Brazzaville, accueillait largement plus d'un millier de personnes. Elles étaient toutes réparties sur plusieurs sites, dont celui de Gidar, qui se trouvait en contre-haut de la ville. En arrivant sur place, Sabrina distribua à chaque famille des « cartes de réfugiés », visant à prouver leurs identités en cas de contrôle de police ; ainsi que des petits coupons, dont elle expliqua rapidement l'utilité : « Ils vous permettront d'obtenir des rations alimentaires, et de l'eau potable. Vous les remettrez aux équipes qui passeront à midi. Tâchez de ne pas les perdre. Sinon, vous n'aurez droit à rien. Maintenant, je vais vous indiquer le lieu, où vous allez pouvoir vous installer. »

Kouka et sa famille furent placés à l'entrée du site, dans un abri collectif construit avec des bâches en plastique, et du bois. Deux autres familles y séjournaient déjà. Ils réussirent néanmoins à trouver un espace, pour poser leurs affaires. Sabrina leur fournit deux grandes nattes, qui leur serviraient de lits, durant tout le temps qu'ils passeraient à Mbanza-Ngungu. Elle leur donna également des couvertures, et quelques ustensiles de cuisine. Une de ses consœurs arriva quelques minutes plus tard avec du savon ; en précisant qu'il fallait l'utiliser parcimonieusement, car les prochains approvisionnements étaient prévus pour la semaine d'après. Sabrina leur proposa ensuite de visiter le site, pour leur permettre de bien prendre leurs repères, et s'accoutumer à ce qui allait devenir pour un certain temps, leur nouvelle habitation. Ils purent ainsi se rendre compte de l'immensité des lieux. Il y avait à vue d'œil, près d'une centaine d'abris collectifs scindés en plusieurs rangées. Partout, on voyait pêle-mêle des gens en train de faire leur lessive, de cuisiner, ou de deviser en toute convivialité. Ils ne manquèrent pas de saluer les nouveaux arrivants. À l'extrémité du camp, on avait installé des latrines. Les douches se trouvaient du côté opposé. Kouka et Cyr prenaient bonne note, de toutes les informations que leur livrait Sabrina. En leur présentant tous ces équipements, elle insista fortement sur la nécessité de les garder propres, de manière à éviter la propagation des maladies. Lorsque la visite fut achevée, elle s'éclipsa, et les réfugiés allèrent vaquer à d'autres occupations. C'est en regagnant leur abri que Kouka et Cyr eurent la divine surprise de tomber sur Mesmin, un de leurs amis d'enfance, et un membre éminent de leur équipe de foot : Bana Matsoua. Il était arrivé un mois plus tôt, avec sa mère et ses deux jeunes sœurs. Ils logeaient dans l'abri d'en face. La joie des trois amis fut immense, tant et si bien qu'ils délaissèrent leurs familles respectives. Ils allèrent bavarder durant près de deux heures dans la rue, se racontant tour à tour leurs mésaventures. Mesmin fut bouleversé d'apprendre la mort de Gildas. À l'instigation d'oncle Marcel, Cyr passa sous silence, tout ce qui avait trait à Capi. « On ne sait jamais », avait-il dit. Mesmin leur donna ensuite des nouvelles, des quelques membres de leur équipe, qu'il avait croisés durant son séjour dans le Pool. Deux d'entre eux se trouvaient non loin de Boko, un troisième à Missafou. Quant aux autres, il n'en avait aucune idée. Tous les trois supposèrent qu'ils étaient probablement à Brazzaville, dans les quartiers nord. Puis, le jeune homme annonça son départ imminent à ses deux amis ; lesquels eurent du mal à cacher leur déception.

« Déjà ? fit Cyr. Mais on vient à peine de se retrouver !

— C'est vrai, renchérit Kouka. Vous devez vraiment partir aujourd'hui ?

— Eh oui les gars. Ça fait trop longtemps qu'on attend d'avoir des places, pour le convoi à destination de Brazzaville. J'espère que vous me comprenez ?

— Ouais, t'inquiète ! fit Kouka. On est aussi pressé que toi de rentrer à Brazzaville. Je pense que ce sera réglé, d'ici deux à trois jours. »

Mesmin se mit à rire. Il leur fit savoir qu'ils n'étaient pas au bout de leurs peines. En effet, compte tenu du nombre important de réfugiés, présents à Mbanza-Ngungu, les rapatriements se faisaient à pas de tortue. Il fallait patienter deux, voire trois semaines, avant de pouvoir intégrer un convoi. Kouka et Cyr écarquillèrent les yeux. « C'est pas une blague les gars ! reprit Mesmin. Vous allez devoir être très patients. » Il ajouta cependant qu'ils ne devaient en aucun cas s'inquiéter, car depuis Brazzaville, le président de la République remuait ciel et terre pour accélérer les choses, et permettre à tous les réfugiés de rentrer chez eux, dans des conditions de sécurités optimales. Il l'avait d'ailleurs réaffirmé, lors d'une récente allocution télévisée. Kouka et Cyr, qui étaient coupés de l'actualité de leur pays depuis quelque temps, buvaient les paroles de leur copain.

Ce dernier marqua un temps d'arrêt, et sortit de la poche de son pantalon, plusieurs coupons alimentaires.

« Tenez, dit-il. Ça pourra toujours vous servir. Moi je n'en ai plus besoin. Ici, les rations alimentaires sont maigres. Mais avec ces coupons, vous pourrez augmenter votre part. »

Cyr le remercia chaleureusement, mais fit remarquer que les coupons étaient nominatifs. Ils risquaient de se faire prendre, si d'aventure ils tentaient de s'en servir. Plus encore devant Sabrina, qui connaissait parfaitement leurs visages. Mesmin lui assura qu'il n'y avait aucune chance que cela se produise, car ce n'était pas Sabrina qui s'occupait de la distribution de nourriture, mais une tout autre équipe. Cela dit, il leur recommanda par mesure de prudence de toujours aller se servir séparément, et de ne jamais signifier qu'ils étaient de la même famille. Sinon les coupons supplémentaires leurs seraient confisqués. S'ils suivaient ces précieux conseils, les gens n'y verraient que du feu.

« Maintenant, je dois vous laisser les gars, conclut-il. Je dois aider ma mère à ranger nos affaires. Je vous dis à bientôt. Rendez-vous à Brazza ! »

Avant de se séparer, les trois amis se promirent d'aller prendre un verre ensemble quand ils se reverraient, dans l'un des nombreux Ngandas de l'avenue Matsoua. Kouka et Cyr allèrent ensuite rejoindre oncle Marcel et tante Esther, qui s'étaient assoupis sur leur natte. Vers midi, Sabrina vint annoncer aux réfugiés que les cargaisons alimentaires étaient arrivées. Oncle Marcel alla se servir en compagnie de Cyr. Ils revinrent une demi-heure plus tard, les bras chargés entre autres de gari, de farine de soja, d'huile de palme et de haricots. Comme Mesmin le leur avait indiqué, les rations étaient maigres. Kouka laissa passer une dizaine de minutes d'intervalle, puis il alla discrètement compléter leur part, avec les coupons que lui avait donnés Mesmin.

XXVIII

Après plusieurs semaines passées à Mbanza-Ngungu, où ils durent s'armer de patience, Kouka et ses proches reçurent un matin de la part de Sabrina, responsable du site de Gidar, la nouvelle tant attendue. On leur avait enfin attribué des places, dans le prochain convoi pour Brazzaville. Le départ était prévu pour le lendemain, le 9 mai 1999. Bien qu'ils fussent enthousiasmés à l'idée de retrouver une vie normale, et de rentrer dans leur pays natal, Kouka et Cyr eurent un léger pincement. Ce qui était très paradoxal, étant donné que la vie dans ce camp du Haut-Commissariat des Nations Unies pour les réfugiés, n'avait pas été une partie de plaisir. Entre la promiscuité, le manque de savoir-vivre de certains, les vols à répétition, les bagarres et les problèmes récurrents d'hygiène ; les deux amis avaient maintes fois éprouvé l'envie de s'en aller. Mais cette aversion s'était estompée au fil des semaines, et avait laissé place à un attachement singulier ; qui s'expliquait par les nouvelles amitiés qu'ils avaient nouées durant leur séjour, et surtout, par leur engagement à l'intérieur du camp. En effet, pour épauler les équipes du HCR qui manquaient cruellement de moyens, ils créèrent avec d'autres réfugiés des petits groupes de volontaires. Ils avaient pour objectif de veiller à l'entretien des latrines, des douches, des pièces communes, et de sensibiliser les gens aux questions d'hygiène et de santé. Sabrina leur fournit des casquettes et des tee-shirts du HCR, comme s'ils eussent appartenu aux effectifs de l'agence onusienne. Cela eut pour conséquence de leur conférer une autorité morale, vis-à-vis des autres réfugiés.

Kouka eut quantité d'échanges épistolaires avec ses parents, qui se languissaient de lui. Ils eurent vent de la situation de Cyr, qui n'avait nulle part où aller, car ayant perdu toute sa famille. Ils lui proposèrent tout naturellement de venir habiter avec eux, le temps de trouver une solution durable. On distinguait parfaitement le ventre de tante Esther. Personne dans le camp, n'osait la bousculer dorénavant, et les équipes médicales du HCR lui assuraient un suivi régulier. Durant ce séjour, Kouka et Cyr reprirent leurs activités de footballeurs. Ils eurent même l'ingénieuse idée, d'organiser un tournoi de football des réfugiés. Bien entendu, les deux jeunes hommes se chargèrent personnellement de recruter les membres de ce qu'ils baptisèrent la « Team Gidar. » Le tournoi eut lieu durant tout un week-end, la troisième semaine de leur arrivée à Mbanza-Ngungu. La finale opposa l'équipe Comète à la Team Gidar, laquelle s'inclina sur le score de 1-0. Des centaines de réfugiés, des habitants de la ville et certains officiels, dont le maire en personne, firent le déplacement pour cet événement, qui ferait date à n'en pas douter.

Sabrina et ses collègues furent bien aises de ce résultat. Elles s'engagèrent à renouveler le concept, dans d'autres zones à conflit, afin de renforcer la concorde entre les réfugiés. Après ce tournoi, Kouka et Cyr devinrent de véritables célébrités dans toute la ville. Avec nombre de leurs nouveaux amis – des autochtones pour la plupart –, ils visitèrent Mbanza-Ngungu de fond en comble. Une ville à très fort potentiel touristique, où il faisait bon vivre. Située à un peu plus de cent cinquante kilomètres de Kinshasa, elle possédait un très grand marché, dans lequel ils allaient souvent se promener. On pouvait y trouver d'excellents légumes et fruits ; les meilleurs de toute la RDC, à en croire certaines vendeuses à la criée, qui en voulaient pour preuve, le nombre de gens qui venaient de très loin pour s'y approvisionner. Sur les hauteurs de la ville, ils eurent fréquemment la possibilité de contempler des paysages mirifiques, à couper le souffle, et d'assister à de très beaux couchers de soleil. Les deux amis allèrent également visiter les légendaires grottes de Mbanza-Ngungu. Ils purent y contempler les *Caecobarbus Geertsii*. C'était par ce nom savant qu'on désignait des petits poissons aveugles et dépigmentés, uniques en leur genre, qui peuplaient ces grottes depuis, disait-on, le commencement du monde. Leur unique regret fut de n'avoir jamais pu se rendre à Kisantu, à environ une trentaine de kilomètres de Mbanza-Ngungu. C'était là que se trouvait le très célèbre jardin botanique. Pour se réconforter, ils prirent la résolution de revenir un jour dans la province du Bas-Congo, et de la visiter dans son entièreté, tels de vrais touristes.

***

Comme avant chaque départ, le brouhaha était intense dans toute la ville. On était au début de la matinée. Les gens s'affairaient et faisaient les derniers adieux. Beaucoup de larmes coulèrent. Tous sites confondus, ils furent plus d'une centaine, à quitter Mbanza-Ngungu ce jour-là. Ils se regroupèrent devant la gare ferroviaire, où le train en partance pour Kinshasa était déjà stationné. Sabrina rassembla les réfugiés du site de Gidar, pour leur faire ses adieux. Deux de ses collègues lui donnèrent un haut-parleur, car on s'entendait difficilement, tant le vacarme était important. Elle prit la parole sur un ton très solennel :

« Pour ceux qui ne le savent pas, ce voyage que vous êtes sur le point d'effectuer est placé sous le signe de l'aide humanitaire. C'est la raison pour laquelle vous ne débourserez rien, jusqu'à votre arrivée à Brazzaville. C'est le résultat d'un accord tripartite, signé entre le Haut-Commissariat des Nations Unies pour les réfugiés, la République démocratique du Congo, et bien évidemment, votre pays le Congo-Brazzaville. Les deux états ont pour mission d'assurer votre sécurité. Ils veilleront à ce que tout le monde arrive à bon port. J'ai été ravie d'avoir passé ces quelques semaines en votre compagnie, et d'avoir collaboré avec certains d'entre vous. »

À ces mots, elle marqua un temps d'arrêt. On sentait clairement qu'elle était rattrapée par les émotions. Elle jeta un regard sur Kouka et Cyr, qui se tenaient debout à côté d'oncle Marcel et de tante Esther. Ils lui firent des clins d'œil et se mirent à sourire ; ce qui la revigora. Elle reprit la parole :

« Les conflits sont derrière vous dorénavant. Profitez de la vie et prenez soin de vous. Je ne vous dis pas adieu, mais au revoir ; car je ne doute pas que nous nous reverrons un jour, dans des circonstances moins tragiques. »

Son discours fut accueilli par un tonnerre d'applaudissements. Sabrina était émue aux larmes, car comme la plupart des Volontaires au sein de l'agence onusienne ; elle était remplie d'humanisme, et prenait son travail très à cœur. La séparation avec les réfugiés pouvait parfois être un déchirement. On annonça le départ, et les familles s'avancèrent lentement, vers le train qui les ramenait vers leur terre natale.

Midi venait de sonner, lorsque le train en provenance de Mbanza-Ngungu entra en gare centrale de Kinshasa. Il resta stationné durant environ une heure, avant qu'on ne laissât descendre tous les passagers. Les forces de l'ordre les escortèrent à pied jusqu'au port, où ils durent patienter deux heures de plus. À l'inverse de Mbanza-Ngungu, où l'air était tout à fait respirable, la touffeur dans la capitale congolaise était insupportable. En outre, la ville grouillait de gens pressés, et était extrêmement bruyante, du fait notamment de l'important trafic routier. Aux abords du port, des centaines de Kinois, c'est-à-dire des habitants de Kinshasa, s'étaient agglomérés pour accueillir les réfugiés ; leur offrant gracieusement des rafraîchissements, des beignets et des cacahuètes. Kouka, soucieux de l'état de santé de sa tante, qui supportait de moins en moins les voyages, préféra rester auprès d'elle. Oncle Marcel, qui n'avait plus mangé de beignets depuis fort longtemps, succomba à la tentation et alla s'en procurer en compagnie de Cyr. Comme ils dégustaient ces différents délices, tante Esther assise sur une valise, sortit de ses affaires une enveloppe, qu'elle donna à Cyr :

« Tiens, fit-elle, c'est ton argent. Malgré les dépenses qu'on a faites, il te reste encore une très grosse somme.

— Combien ? demanda Cyr, qui parlait la bouche pleine.

— Un peu moins d'un million de francs CFA. Avec ça, tu peux facilement aller jusqu'à Paris.

— Oui, c'est pas mal. Mais si ça ne te dérange pas, je préfère que tu la gardes pour l'instant. Il y aura sûrement des policiers à Brazza. On ne sait jamais.

— Tu as raison. Je te la rendrai, quand nous serons arrivés chez mon frère. »

Puis elle se tourna vers Kouka, et lui demanda si Ya Samba était bien au courant du jour de leur arrivée à Brazzaville. Son neveu lui assura que tout était en ordre. Sabrina, qui disposait d'un téléphone dans son bureau, avait gentiment accepté de lui transmettre le message. Son père avait confirmé qu'il serait bel et bien présent pour les accueillir ; et qu'il se languissait de les retrouver.

« Formidable ! dit tante Esther. En plus d'être belle et très intelligente, Sabrina est une femme très serviable. Tu as conservé ses coordonnées ? J'aimerais que nous lui envoyions une carte postale en arrivant.

— Bien sûr ! J'ai toutes ses coordonnées. Je te rappelle qu'elle était devenue notre collègue de travail. »

Tante Esther sourit, et ajouta en plaisantant :

« Si tu étais un peu plus âgé, elle aurait beaucoup plu à mon frère et à ma belle-sœur, Sylvie. Une belle-fille de ce type, ça ne se refuse pas. Tu peux me croire sur parole, neveu.

— Hein ! fit Kouka, qui faillit s'étouffer en mangeant. C'est une grande sœur avec qui on a sympathisé, rien de plus. »

Il détourna aussitôt son regard, pour couper court à la discussion. Tout le monde se mit à rire aux éclats.

« C'est parfait ! s'exclama oncle Marcel, d'un air satisfait. Tout est réglé. Nous resterons quelques jours à Brazza, et après nous irons à Pointe-Noire en avion. Là-bas au moins nous serons tranquilles.

— C'est clair, dit Kouka. Dès que vous serez installés, nous viendrons vous voir. Pas vrai Cyr ?

— Bien sûr ! »

Puis, ils se mirent à considérer longuement l'autre rive, sur laquelle ils distinguaient très clairement les bâtiments du centre-ville de Brazzaville ; et plus singulièrement, l'imposante tour Nabemba, qui était l'immeuble le plus haut de toute la République du Congo. Vers quinze heures, on annonça enfin le départ. La police de Kinshasa, qui coordonnait l'embarquement, scinda les réfugiés en deux groupes, car la capacité des navires réquisitionnés pour la circonstance était limitée. Kouka et les siens prirent place à bord de la deuxième navette, qui démarra à quinze heures et demie. À l'intérieur de leur bateau, se trouvait également une famille avec laquelle ils s'étaient liés d'amitié, durant les nombreuses semaines qu'ils avaient passées dans le camp du HCR. L'homme se prénommait Médard, et son épouse Ernestine. Tous deux étaient cadres de l'ANAC, l'Agence Nationale de l'Aviation Civile. Ils avaient une fille de neuf ans, Solange, qui s'était fortement attachée à Kouka et Cyr. Durant la traversée, ces compagnons d'infortune, qui se considéraient dorénavant comme faisant partie d'une même famille, planifiaient des projets en commun, pour les jours à venir. Médard dit à oncle Marcel :

« C'est hors de question que vous partiez à Pointe-Noire, sans être passés manger à la maison.

— Ce n'est même pas envisageable, mon cher, répondit oncle Marcel. On doit s'asseoir autour d'une bière bien tapée, comme de vrais hommes.

— On vous laissera avec vos bières, dit Ernestine en riant. Ma sœur Esther et moi, nous irons dans un salon de coiffure. Nous ne sommes plus dans un camp de réfugiés, donc nous devons nous faire belles. »

Tante Esther se contenta de sourire. Kouka prit la petite Solange dans ses bras, et lui fit la promesse de venir la chercher dans la semaine. Ils iraient d'abord se promener, ensuite ils iraient savourer des glaces, dans le centre-ville de Brazzaville.

« Tu aimes le Mont-Blanc ? demanda-t-il.

— Oui Yaya ! J'adore le Mont-Blanc.

— C'est noté dans ce cas, ajouta Cyr, qui prit à son tour la jeune fille dans ses bras. On viendra te chercher dès demain. C'est promis. »

Une excitation assez singulière, s'était emparée de tous les voyageurs, s'intensifiant au fur et à mesure, que le bateau s'approchait de l'autre rive. L'idée de rentrer dans leur pays, qui n'était plus qu'à quelques centaines de mètres, les exaltait. Kouka avait le cœur qui battait la chamade ; car il se figurait les retrouvailles avec sa famille, qu'il n'avait plus revue depuis près de six mois. Quelques minutes plus tard, le bateau accosta au port de Brazzaville, que tout le monde appelait « Beach », le voyage touchait à sa fin. Pour la plupart des gens, ce fut un moment de soulagement et d'euphorie. Semblables aux passagers d'un avion au moment de l'atterrissage, d'aucuns se mirent à applaudir à tout rompre. Les accolades se multipliaient. On embrassait même ceux qu'on ne connaissait pas, comme durant la messe, lorsqu'on s'échange la « paix du Christ ».

Il ne fallut malheureusement que quelques instants aux gens, pour déchanter et calmer leur exultation. En vérité, il eût été très difficile de faire autrement. Car à l'inverse de l'ambiance chaleureuse qui régnait à Kinshasa, l'accueil au Beach fut glacial. Des centaines de militaires, armés jusqu'aux dents, étaient stationnés sur le quai. En lieu et place de sourires, ou de salutations cordiales, les réfugiés eurent droit à des mines rébarbatives. Ils aperçurent au loin quelques dignitaires du pouvoir, ainsi que des officiers des Forces armées congolaises, discutant dans le hall principal, comme si de rien n'était ; sans jamais daigner jeter un regard sur eux. Ceux qui avaient reconnu quelques-uns de ces hommes commencèrent à s'exciter. Un murmure de conversations se fit entendre :

« Regardez, dit un homme dans la foule, c'est le général Etumba, Directeur de la police nationale.

— Et à côté de lui, fit un autre, c'est le ministre de la Santé. Attendez, ajouta-t-il au bout de quelques secondes. Il y en a un troisième. Si je ne me trompe pas, il s'agit du ministre Augustin Lokuta. »

C'était effectivement le puissant ministre de la Communication, porte-parole du gouvernement, qu'on apercevait en compagnie de son collègue de la Santé, et du patron de la police nationale. On s'attendait à ce que « le Président a dit » vînt à la rencontre de ses compatriotes, pour leur souhaiter la bienvenue, et leur dire quelques mots au nom du chef de l'état, dont il chantait continuellement les louanges ; mais ce dernier préféra s'éclipser avec le reste des officiels, laissant aux subalternes le soin d'accueillir les réfugiés. C'était à se demander, pourquoi ils avaient fait le déplacement.

On avait à peine fini de décharger les bagages, que les choses s'accélérèrent, et prirent une tournure particulièrement étrange. On somma les réfugiés de former deux rangs : un réservé aux hommes, un autre réservé aux femmes et aux enfants. Kouka, Cyr et oncle Marcel, éperdus, allèrent rejoindre Médard dans le rang des hommes. Tante Esther demeura aux côtés d'Ernestine et de sa fille.

« Vous savez ce qui se passe ? demanda tout bas Médard.

— Je n'en sais rien, mon cher ami, répondit oncle Marcel, intrigué. Mais nous allons très vite le savoir.

— Du moment que ça ne dure pas, ça me va. »

Oncle Marcel opina du chef, puis ajouta qu'il n'y avait pas lieu de s'en faire. Après tout, le pire était derrière eux.

Kouka et Cyr étaient également soucieux de savoir de quoi il retournait. Soudain, un soldat au port altier, brandissant un haut-parleur, prit la parole et s'adressa aux hommes sur un ton péremptoire. Il leur dit que les forces de l'ordre devaient procéder à des contrôles de routine, assurant que cela ne prendrait que quelques minutes. Après cela, tout le monde pourrait tranquillement rentrer chez soi. Il demanda par la suite aux gens d'avancer lentement – deux par deux de préférence –, vers l'enceinte du bâtiment situé en face du débarcadère. Oncle Marcel entra avec un homme qui était devant lui. Les autres durent attendre qu'on leur fît signe. Puis vint le tour de Kouka, qui entra en compagnie de Médard.

« On se retrouve dehors, dit-il à l'adresse de Cyr, qui était derrière lui.

— Ça marche, répondit ce dernier. »

Kouka jeta un coup d'œil inquisiteur, sur la file réservée aux femmes et aux enfants ; et il remarqua qu'elle avançait à un rythme plus rapide, que celle des hommes. Tout à coup, une voix dont il ne put identifier l'origine l'interpella de manière véhémente : « Avance connard ! »

Il pénétra dans le hall principal, où quelques minutes auparavant, se tenaient debout les quelques hommes forts du pouvoir en place. Plusieurs soudards, qui donnaient des signes d'impatience, lui firent de nouveau signe d'avancer. Il obtempéra, et emprunta un long corridor, au bout duquel se trouvait un bureau, dont la porte était fermée. Deux soldats montaient la garde. « Rentre à l'intérieur ! » lui ordonna l'un d'eux, qui venait d'ouvrir la porte. Là aussi, Kouka obéit. Une fois à l'intérieur du bureau, il commença à paniquer. La pièce, silencieuse, était plongée dans un clair-obscur inquiétant et, ne comportait aucune fenêtre. Une dizaine de soldats aux visages patibulaires s'y étaient agglutinés. Certains tenaient dans leurs mains des Kalachnikovs, d'autres des torches électriques. Kouka entendit un cliquetis de clés. Il regarda par-dessus son épaule, et vit une personne à la carrure imposante fermer à double tour, la porte par laquelle il était entré. Son cœur se mit à battre, et des gouttes de sueur commencèrent à perler sur son front. Il voyait arriver sa dernière heure. Médard était debout sur sa droite. On leur enjoignit de s'avancer vers le centre de la pièce. Les deux hommes se regardèrent, désarçonnés. Et Kouka crut entendre Médard lui dire à voix basse : « ça va aller, mon fils. »

Un homme bourru, qui semblait être le chef, et était assis sur une chaise au fond de la pièce, leur dit : « Déshabillez-vous, tout de suite ! » Kouka pensa avoir mal entendu, mais voyant Médard s'exécuter avec une célérité déconcertante ; il réalisa qu'ils allaient bel et bien passer, sous les fourches caudines de ces soudards. Il s'exécuta à contrecœur, et se mit en sous-vêtements. On braqua sur eux plusieurs torches électriques, à tel point qu'ils furent complètement éblouis. Dans le même temps, des hommes commencèrent à les palper, et à les inspecter ainsi que du bétail. Ils s'attardèrent singulièrement sur les paumes, les pieds et le dos. Un homme pointa sa torche électrique, sur une cicatrice que Kouka avait sur le ventre, émanant d'une blessure qu'il s'était faite en tombant d'un arbre, deux années auparavant. Le soudard plissa les yeux, regarda de plus près, parut dubitatif, puis passa à autre chose, considérant que la cicatrice n'était pas récente. Subitement, Kouka frissonna, car il venait enfin de comprendre ce qui se tramait. En effet, ces hommes en uniformes ne cherchaient ni plus ni moins, que des signes extérieurs, ou des marques, visant à démontrer que l'un d'eux avait déjà manié une arme à feu, ou avait fait la guerre. En un mot, ils voulaient savoir si Médard et lui étaient des rebelles, des Nsiloulous. Cela sautait aux yeux.

Kouka entra dans une colère noire. À ses yeux, rien au monde ne justifiait ces pratiques d'un autre temps. Comment imaginer un seul instant que l'on infligeât un traitement aussi mortifiant, et aussi avilissant, à l'endroit de concitoyens qui venaient de rentrer d'exil ? Sa respiration devint haletante, son visage se décomposa. Il serra ses poings, et fut près de bondir sur l'un de ces soudards, pour tenter de sauver son honneur, et par-dessus tout, montrer qu'il n'était guère disposé à tolérer de tels agissements. Mais il préféra se contenir. Car il savait pertinemment, que cela ne lui avancerait à rien, sinon à se faire tuer.

Il jeta un regard sur Médard, qui subissait le même supplice et ne cillait pas. On sentait toutefois qu'il était complètement tétanisé. Comment pouvait-il en être autrement ? Ce calvaire dura environ une quinzaine de minutes, mais pour Kouka, ce furent les minutes les plus longues, de ses dix-huit années d'existence. Car dans ce clair-obscur, le temps semblait s'être rallongé, et c'était assez perturbant. Puis, la même voix qui leur avait demandé de se dévêtir, quelques minutes plus tôt, se fit de nouveau entendre : « Rhabillez-vous et sortez d'ici ! » ordonna-t-elle cette fois-ci.

Les deux hommes ne se le firent pas dire deux fois. Après qu'ils eurent terminé de s'habiller, on leur demanda d'emprunter des chemins distincts. Kouka fut prié de ressortir par la porte principale, celle qu'il avait empruntée en arrivant ; Médard, quant à lui, fut orienté vers une porte dérobée située sur la droite. Du fait des torches électriques qui foudroyaient leurs visages, les deux hommes n'y avaient pas prêté attention. Un soldat ouvrit cette porte, et poussa violemment Médard, à l'intérieur d'une pièce attenante à celle dans laquelle ils se trouvaient. Cette autre pièce était également peu éclairée. Kouka voulut voir de plus près ce qu'il y avait à l'intérieur. Il désirait également comprendre pourquoi Médard y avait été conduit, et pas lui. Mais tout à coup, une main robuste le saisit par l'épaule, et le jeta dehors. Quand il se retrouva derechef dans le corridor, il eut l'impression d'être revenu d'outre-tombe, tant le tourment qu'il venait d'endurer l'avait atteint au plus profond de son âme. Toutefois, il n'eut pas le temps de beaucoup réfléchir. Il entendit un des soldats qui montait la garde, lui dire d'un air narquois : « Bouge d'ici avant qu'on change d'avis ! »

Cette phrase lui glaça le sang. À cet instant précis, il comprit que le pire était à craindre pour Médard. Il reprit son gros sac, qu'il avait laissé devant la porte et, s'en alla au pas de course. En arrivant au-dehors, il fut ébloui par la lumière des réverbères qui scintillaient de toutes parts, car le soleil s'était couché, et la nuit s'était installée. Il reprit peu à peu ses esprits, et se rendit compte du tumulte qui régnait devant l'entrée du Beach.

Des centaines de personnes étaient massées sur la route. C'était le moment des retrouvailles entre les réfugiés et leurs proches. Çà et là, on voyait des scènes de liesse et on entendait force cris. Il y avait également des cohortes de taxis, qui klaxonnaient et chargeaient des voyageurs. Sur le trottoir d'en face, Kouka aperçut les siens qui lui faisaient des signes de la main ; et à côté d'eux se tenait son père, Ya Samba, qu'il semblait n'avoir plus revu depuis une éternité. Il alla au-devant d'eux, traversa la route avec négligence, manqua même de se faire écraser par un taxi, ce qui lui valut d'essuyer un tombereau d'injures ; mais le jeune homme n'en avait cure. Il se jeta dans les bras de son père et, les deux se mirent à pleurer à chaudes larmes.

« J'ai l'impression que tu as encore grandi, fils ! fit remarquer son père, qui s'essuyait le visage.

— Si c'est le cas, répliqua Kouka ivre de joie, je ne m'en suis pas rendu compte. »

Tante Esther et oncle Marcel, qui se tenaient par la main pleuraient également. Mais soudain, Kouka eut comme un soubresaut, et il regarda autour de lui d'un air affolé :

« Cyr ! s'écria-t-il. Il faut qu'on l'attende. Il ne devrait pas tarder à sortir. Il était juste derrière moi dans la file. »

Au même moment, une voix de femme l'appela. Lorsqu'il se retourna, il aperçut Ernestine et sa fille, qui se tenaient debout de l'autre côté du trottoir.

« Où est Médard ? demanda-t-elle. On l'attend depuis tout à l'heure.

— Qui est cette dame ? fit Ya Samba.

— C'est Ernestine, répondit tante Esther. Une de nos amis. Nous avons fait sa connaissance à Mbanza-Ngungu. »

Elle interrogea son neveu, pour savoir s'il savait où se trouvait Médard. Kouka demeura silencieux dans un premier temps, et baissa les yeux. Puis, il répondit d'un air triste : « Ils lui ont demandé d'entrer dans l'autre pièce. »

« Dans ce cas, dit Ya Samba, tu vas aller lui dire que tu n'as pas vu son mari, mais qu'il va probablement sortir, d'ici quelques minutes. Il faut éviter de faire paniquer les gens. Et parfois, il est nécessaire de mentir.

— Je t'accompagne, lui dit tante Esther.

— En attendant, poursuivit Ya Samba, Marcel et moi allons chercher Cyr. »

Kouka fit exactement ce qu'on lui avait demandé. Ernestine fut rassurée. Deux minutes plus tard, son père et son oncle revinrent, mais sans son inséparable compère. Il fut près de perdre la tête. Ya Samba arrêta un taxi, et demanda à son beau-frère de l'aider à charger les bagages dans le coffre.

« Attendez ! dit Kouka d'une voix nerveuse. Qu'est-ce que vous faites ? On ne va pas partir sans Cyr. »

Les deux hommes ne purent lui répondre. Pire encore, ils évitèrent même de croiser son regard.

« Monte dans le taxi ! se contenta de lui dire son père. Le Beach est fermé pour aujourd'hui. Si on doit chercher Cyr, ce ne sera pas avant demain. »

Kouka regarda l'entrée principale, et constata effectivement que les grilles étaient fermées. La plupart des gens s'en étaient allés ; même Ernestine et sa fille avaient brusquement disparu. Tout à coup, un impressionnant convoi, composé de trois fourgons de police, de cinq puissants 4x4 et de deux motards, sortit du parking du Beach. Il passa en trombe devant le taxi, s'engouffra dans les embouteillages à grand renfort de klaxons et de gyrophares, et disparut. Voyant cela, Kouka en prit son parti. Il monta dans le taxi. Son père et son oncle résolurent de partir avec lui dès le lendemain matin, à la recherche de Cyr.

« Nous ne le laisserons pas tomber fiston, dit Ya Samba, ça je peux te le promettre. Nous sommes dans un pays où il n'y a pas de justice, donc avec un bon bakchich, on pourra facilement le faire libérer.

— C'est vrai, ajouta oncle Marcel, c'est un membre de notre famille. Rassure-toi, tout se passera bien. »

Kouka acquiesça sans dire un mot.

« Vous allez où ? demanda le chauffeur du taxi.

— Pour l'instant, dit Ya Samba, qui contemplait l'entrée du Beach dédaigneusement, démarrez, et emmenez-nous vite loin de cet endroit ! »

À travers les vitres teintées du 4x4 dans lequel il se trouvait, Cyr avait parfaitement aperçu Kouka, qui se tenait debout devant le taxi, stationné sur le trottoir en face du Beach. En ce moment, il avait voulu crier son nom et s'agiter dans tous les sens ; mais le bâillon qu'il avait sur la bouche ne lui permettait pas de faire entendre le son de sa voix. De plus, il était garrotté tel un prisonnier, ce qui restreignait totalement sa liberté de mouvement. Avant que le 4x4 ne fût happé par l'intense circulation Brazzavilloise, il se contenta donc de considérer une dernière fois son ami et frère ; se rassurant sur le fait qu'il ne faisait pas partie du lot. Médard était également assis dans le véhicule, sur la gauche plus précisément. Comme Cyr, il avait succinctement aperçu les siens à travers la fenêtre ; cheminant lentement et sans conviction aucune, sur le trottoir qui bordait le Beach. Ne pouvant faire usage de leurs bouches, les deux hommes n'avaient plus que leurs yeux, pour se communiquer leurs angoisses et leurs interrogations.

Où les conduisait-on ? Aucun d'eux ne pouvait répondre à cette question, et le mutisme de leurs accompagnateurs ne leur était de toute évidence d'aucune utilité. Mais Cyr se rappelait parfaitement leurs airs sardoniques et leurs ricanements ; et il se rappelait également les menaces, qu'on leur avait proférées lorsqu'on les installait dans les véhicules : « Aujourd'hui, vous allez voir ce que vous allez voir, bandes de Ninjas ! »

Subitement, il se prit à repenser à cette histoire, que Tâ Louzolo lui avait narrée durant son séjour à Mbandza-Ndounga, concernant les lucioles, qui étaient censées être les âmes sœurs des êtres humains. Alors, il commença à verser quelques larmes. Car bien qu'il ignorât la destination finale de ce convoi, il était au moins sûr d'une chose, Médard et lui allaient s'éteindre incessamment ; autrement dit, des lucioles allaient s'arrêter de briller.

Épilogue

Kouka resta quelque temps à Brazzaville, avant de s'envoler pour la France au mois d'octobre 1999. Il alla s'installer dans le quartier du Val Fourré, à Mantes-la-Jolie, chez la sœur aînée de sa mère. Cette dernière se démena pour lui obtenir une inscription dans un lycée de la ville, où il obtint plus tard son Bac. Fidèle à son projet initial, il décida par la suite de s'inscrire en licence de sciences politiques, à l'université de Versailles Saint-Quentin-En-Yvelines. Comme prévu, oncle Marcel et son épouse s'envolèrent pour Pointe-Noire.

Dans le Pool, les affrontements se poursuivirent, et vers le mois de juin, les Nsiloulous furent de nouveau mis en déroute ; ce qui les obligea à aller se terrer au fin fond des forêts. De nombreux déplacés, mais également des villageois, profitèrent de cette occasion pour gagner Brazzaville ; empruntant les couloirs humanitaires qui furent créés sur les routes de Linzolo et de Kinkala. On y déplora également force assassinats, commis arbitrairement par la soldatesque congolaise. Parmi ces nombreux villageois qui réussirent à s'échapper du Pool se trouvait Tâ Louzolo. Il resta deux jours dans la capitale, et alla ensuite rejoindre le reste de sa famille à Pointe-Noire ; où sa bru Esther donna naissance au mois d'août, à une jolie petite fille, à qui on attribua le prénom de Grâce-Divine. Les parents de

Kouka attendirent que Bacongo se repeuplât, avant de songer à regagner leur domicile, laissé à l'abandon depuis plusieurs mois.

En décembre 1999, le gouvernement congolais et les rebelles Nsiloulous finirent par signer un accord de paix, mettant fin à une guerre, qui durait depuis plus d'une année.

Quant à Cyr, Médard et toutes les autres personnes victimes de cette rafle du Beach, ils disparurent pour de bon, et aucune explication plausible ne fut donnée à leurs proches. Kouka, qui n'avait eu de cesse d'arpenter les commissariats de Brazzaville, avant son départ pour la France, pleura durant des mois, celui qu'il considérait comme son frère. On apprit plus tard, que ce furent environ trois cent cinquante-trois personnes, qui disparurent ainsi entre le 5 mai et le 14 mai 1999. D'aucuns affirmèrent que ces malheureux furent occis par les éléments de la garde présidentielle, dans l'enceinte même de la présidence de la République. Leurs dépouilles, disait-on, furent incinérées, ou tout simplement jetées dans le fleuve. On se perdit en conjectures durant plusieurs mois ; mais tout le monde s'accorda finalement, sur le fait qu'il s'agissait bien d'un massacre de masse, perpétré par des Congolais à l'endroit de leurs compatriotes qui rentraient d'exil.

Le HCR, qui avait supervisé le rapatriement de ces réfugiés, demanda des explications aux autorités congolaises ; mais ces dernières, usèrent de manœuvres dilatoires pour atermoyer les enquêtes, avant de finalement admettre qu'il y avait eu « quelques débordements » lors de l'accueil des réfugiés, au Beach de Brazzaville. Cependant, aucune responsabilité ne fut clairement établie. C'est dans ce contexte qu'au début des années 2000, une association de proches des disparus se constitua en France, et commença à réclamer la tenue d'un procès équitable. En mémoire de Cyr, Médard et toutes les victimes de ce carnage ; Kouka décida de se joindre à ces familles. Et grâce à leurs témoignages, et aux minutieuses enquêtes menées durant près de deux ans ; plusieurs organisations de défenses de droits de l'homme déposèrent en décembre 2001, une plainte devant le tribunal de Grande instance de Paris, afin qu'on fît la lumière, sur la macabre affaire « des disparus du Beach. »

Remerciements

Je tiens à remercier Le Lys Bleu Éditions pour leur confiance. Merci à Mouandé, Boris, Géraldine, Steph, Gina, Achille, Togbeto et Aurore. Leur avis et leurs corrections, ont permis à ce roman d'exister.

Imprimé en Allemagne
Achevé d'imprimer en janvier 2022
Dépôt légal : janvier 2022

Pour

Le Lys Bleu Éditions
40, rue du Louvre
75001 Paris